사고력 수학 전문가가 만든

유리셈

• 유리수의 혼합 계산 •

사고력 수학 전문가가 만든 연산교재
원리로부터 실력까지 연산의 완성!!
다양한 형태의 문제로 재미있게 연습하는 "원리셈"

지은이의 말

수학은 원리로부터

수학은 구체물의 관계를 숫자와 기호의 약속으로 나타내는 추상적인 학문입니다. 이 점이 아이들이 수학을 어려워하는 가장 큰 이유입니다. 이러한 수학은 제대로 된 이해를 동반할 때 비로소 힘을 발휘할 수 있습니다. 수학은 어느 단계에서나 원리가 가장 중요합니다.

수학 교육의 변화

답을 내는 방법만 알아도 되는 수학 교육의 시대는 지나고 있습니다. 연산도 한 가지 방법만 반복 연습하기 보다 다양한 풀이 방법을 중요하게 생각합니다. 교과서는 왜 그렇게 해야 하는지 가르쳐 주고 다양한 방법을 생각하도록 하지만, 학생들은 단순하게 반복되는 연습에 원리는 잊어버리고 기계적으로 답을 내다보니 응용된 내용의 이해가 부족합니다.

연산 학습은 꾸준히

유초등 학습 단계에 따라 4권~6권의 구성으로 매일 10분씩 꾸준히 공부할 수 있습니다. 원리와 다양한 방법의 학습은 그림과 함께 재미있게, 연습은 앱을 이용하여 시간을 재고 다른 학생들의 결과와 비교하면서 집중하여 공부할 수 있도록 했습니다. 부담 없는 하루 학습량으로 꾸준히 공부하다 보면 어느새 연산 실력이 부쩍 늘어난 것을 알 수 있습니다.

개정판 원리셈은

기존 원리셈의 원리와 다양한 풀이 방법은 유지하면서 연습도 충분할 수 있도록 하였습니다. 쉽고 재미있게 공부하도록 했던 처음의 기획 의도는 강조하고, 더 효과적으로 계산력도 키울 수 있습니다.

지은이 천종현

원리셈의 특징

원리셈의 학습 구성

한 권의 책은 매일 10분 / 매주 5일 / 5주 또는 6주 학습

원리셈의 시나브로 강해지는 학습 알고리즘

키즈 원리셈은

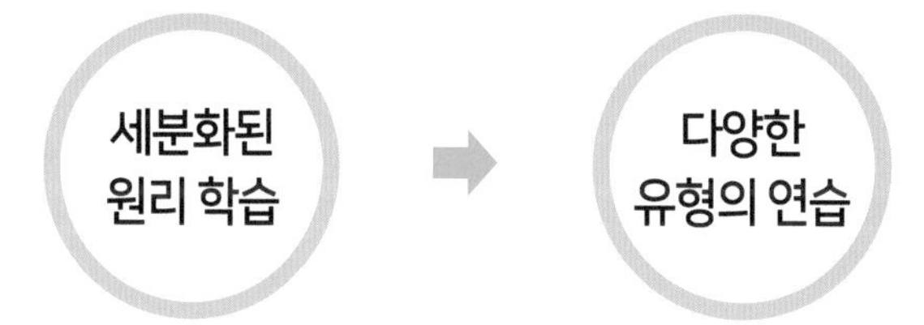

초등 원리셈은

학년 단계에 최적화된 구성

- 유아, 초등 저학년은 적은 양을 쉽고 재미있게 꾸준히 할 수 있도록!!
  - 단계별 교재의 수는 충분하게, 문제 수는 적절하게
- 학년이 올라갈수록 짧은 시간에 집중해서 마스터 할 수 있도록!!
  - 단계별 교재의 수는 적절하게, 문제 수는 충분하게
  - 주제별로 집중 연습 단원 "도전! 계산왕"

원리셈 단계별 학습 내용

원리셈은 연산 학습 단계에 따라 소재와 구성이 다릅니다.

키즈 원리셈(5·6세 단계~7·8세 단계)

- 쉽고 재미있는 연산 공부
- 단계별 6권, 5·6세 단계는 권별 4주 / 6·7세와 7·8세 단계는 권별 5주 구성
- 5·6세 단계의 매주의 마지막 5일차는 재미있게 사고력 키우기 "사고력 팡팡"
- 엘리베이터, 구슬, 사탕, 손가락과 같이 생활 속 소재로 문제 구성

1, 2학년 원리셈

- 단계별 6권, 권별 5주 구성
- 교과서와 같이 수 모형을 통한 원리 학습
- 수 막대, 수직선, 저울 등 다양한 응용 연산
- 5주차 마지막 단원은 집중 연습 "도전! 계산왕"

3, 4학년 원리셈

- 단계별 4권, 권별 6주 구성
- 원리 학습 → 다양한 계산 방법 → 연습
- 6단원 중 2개 단원은 집중 연습 "도전! 계산왕"

5, 6학년 원리셈

- 통합 학년으로 총 4권, 권별 6주 구성
- 6학년에서 연산의 비중이 적은 부분을 감안하여 5, 6학년 통합
- 원리 학습 → 다양한 계산 방법 → 연습
- 6단원 중 2개 단원은 집중 연습 "도전! 계산왕"

예비 중등 원리셈

- 중학교 1학년에서 어려움을 겪는 유리수의 혼합 계산과 방정식의 계산을 쉽게 공부할 수 있는 예비 중등 원리셈 단계 두 권
- 6단원 중 2개 단원은 집중 연습 "도전! 계산왕"

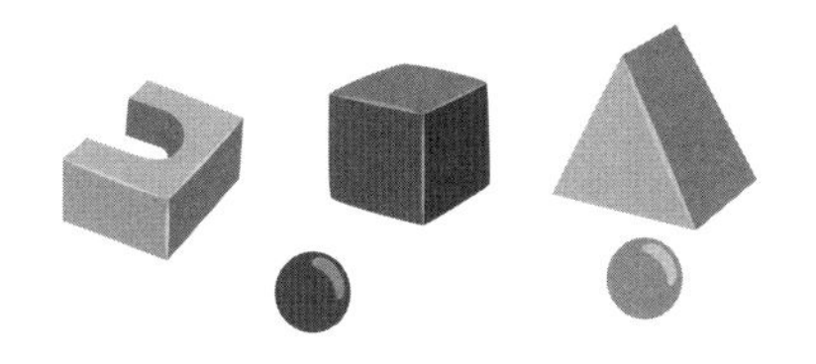

원리셈 전체 단계

키즈 원리셈

단계	구분	주제
5·6세	1권	5까지의 수
	2권	10까지의 수
	3권	10까지의 수 세어 쓰기
	4권	모아 세기
	5권	빼어 세기
	6권	크기 비교와 여러 가지 세기
6·7세	1권	10까지의 더하기 빼기 1
	2권	10까지의 더하기 빼기 2
	3권	10까지의 더하기 빼기 3
	4권	20까지의 더하기 빼기 1
	5권	20까지의 더하기 빼기 2
	6권	20까지의 더하기 빼기 3
7·8세	1권	7까지의 모으기와 가르기
	2권	9까지의 모으기와 가르기
	3권	덧셈과 뺄셈
	4권	10 가르기와 모으기
	5권	10 만들어 더하기
	6권	10 만들어 빼기

원리셈

단계	구분	주제
1학년	1권	받아올림/내림 없는 두 자리 수 덧셈, 뺄셈
	2권	덧셈구구
	3권	뺄셈구구
	4권	세 수의 덧셈과 뺄셈
	5권	□ 구하기
	6권	(두 자리 수)±(한 자리 수)
2학년	1권	두 자리 수 덧셈
	2권	두 자리 수 뺄셈
	3권	□ 구하기
	4권	곱셈
	5권	곱셈구구
	6권	나눗셈
3학년	1권	세 자리 수의 덧셈과 뺄셈
	2권	(두/세 자리 수)×(한 자리 수)
	3권	(두 자리 수)×(두 자리 수)/(두 자리 수)÷(한 자리 수)
	4권	(세 자리 수)÷(한 자리 수)/곱셈과 나눗셈의 관계
4학년	1권	큰 수의 곱셈과 나눗셈
	2권	분모가 같은 분수의 덧셈과 뺄셈
	3권	소수의 덧셈과 뺄셈
	4권	자연수의 혼합 계산
5·6학년	1권	약수와 배수
	2권	분모가 다른 분수의 덧셈과 뺄셈
	3권	분수의 곱셈과 나눗셈
	4권	소수의 곱셈과 나눗셈
예비 중등	1권	유리수의 혼합 계산
	2권	방정식의 계산

예비 중등 단계의 구성과 특징

유리수의 혼합 계산과 방정식의 계산은 중학교 수학을 공부하기 위해 반드시 필요한 내용이지만 많은 학생들이 어려워 합니다. 2권의 책으로 기본 개념부터 계산 훈련까지 체계적으로 연습할 수 있습니다.

원리

원리를 직관적으로 이해하고 쉽게 공부할 수 있도록 하였습니다.

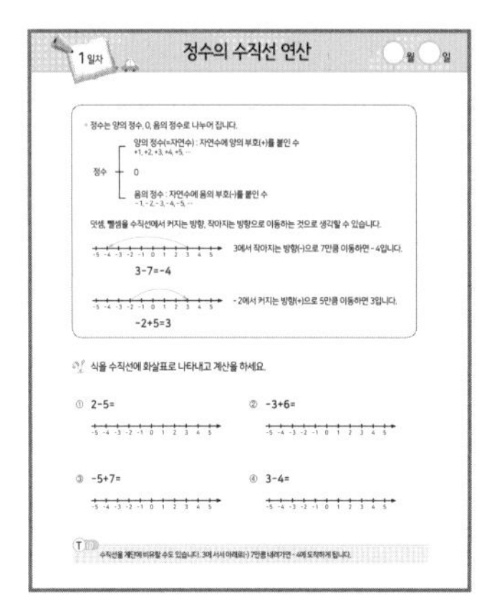

1일차 정수의 수직선 연산 월 일

- 정수는 양의 정수, 0, 음의 정수로 나누어 집니다.

정수
- 양의 정수(=자연수) : 자연수에 양의 부호(+)를 붙인 수 +1, +2, +3, +4, +5, ⋯
- 0
- 음의 정수 : 자연수에 음의 부호(-)를 붙인 수 -1, -2, -3, -4, -5, ⋯

덧셈, 뺄셈을 수직선에서 커지는 방향, 작아지는 방향으로 이동하는 것으로 생각할 수 있습니다.

3에서 작아지는 방향(-)으로 7만큼 이동하면 -4입니다.
3-7=-4

-2에서 커지는 방향(+)으로 5만큼 이동하면 3입니다.
-2+5=3

식을 수직선에 화살표로 나타내고 계산을 하세요.

① 2-5=　② -3+6=
③ -5+7=　④ 3-4=

T 수직선을 계단에 비유할 수도 있습니다. 3에 서서 아래로(-) 7만큼 내려가면 -4에 도착하게 됩니다.

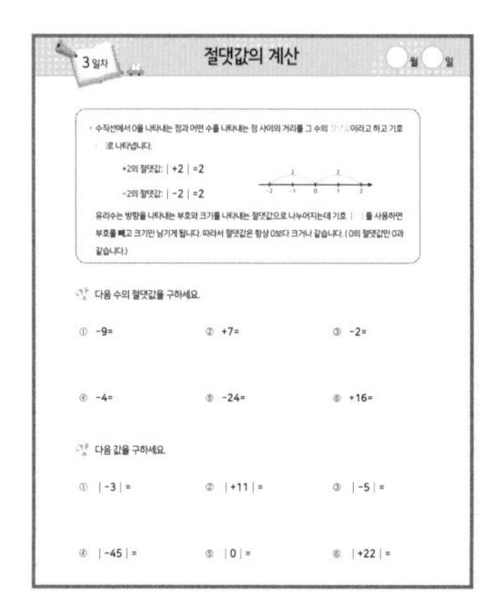

3일차 절댓값의 계산 월 일

- 수직선에서 0을 나타내는 점과 어떤 수를 나타내는 점 사이의 거리를 그 수의 절댓값이라고 하고 기호 | |로 나타냅니다.

+2의 절댓값: |+2|=2
-2의 절댓값: |-2|=2

유리수는 방향을 나타내는 부호와 크기를 나타내는 절댓값으로 나누어지는데 기호 | |를 사용하면 부호를 빼고 크기만 남기게 됩니다. 따라서 절댓값은 항상 0보다 크거나 같습니다. (0의 절댓값만 0과 같습니다.)

다음 수의 절댓값을 구하세요.

① -9=　② +7=　③ -2=
④ -4=　⑤ -24=　⑥ +16=

다음 값을 구하세요.

① |-3|=　② |+11|=　③ |-5|=
④ |-45|=　⑤ |0|=　⑥ |+22|=

다양한 계산 방법

다양한 계산 방법을 공부함으로써 수를 다루는 감각을 키우고, 상황에 따라 더 정확하고 빠른 계산을 할 수 있도록 하였습니다.

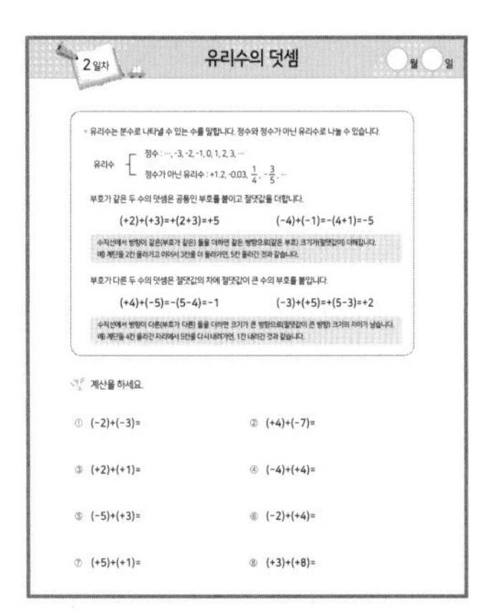

2일차 유리수의 덧셈 월 일

- 유리수는 분수로 나타낼 수 있는 수를 말합니다. 정수와 정수가 아닌 유리수로 나눌 수 있습니다.

유리수
- 정수 : ⋯, -3, -2, -1, 0, 1, 2, 3, ⋯
- 정수가 아닌 유리수 : +1.2, -0.03, $\frac{1}{4}$, $-\frac{3}{5}$, ⋯

부호가 같은 두 수의 덧셈은 공통인 부호를 붙이고 절댓값을 더합니다.

(+2)+(+3)=+(2+3)=+5　(-4)+(-1)=-(4+1)=-5

수직선에서 방향이 같은(부호가 같은) 둘을 더하면 같은 방향으로(같은 부호) 크기가(절댓값이) 더해집니다.
예) 계단을 2칸 올라가고 이어서 3칸을 더 올라가면, 5칸 올라간 것과 같습니다.

부호가 다른 두 수의 덧셈은 절댓값의 차에 절댓값이 큰 수의 부호를 붙입니다.

(+4)+(-5)=-(5-4)=-1　(-3)+(+5)=+(5-3)=+2

수직선에서 방향이 다른(부호가 다른) 둘을 더하면 크기가 큰 방향으로(절댓값이 큰 방향) 크기의 차이가 남습니다.
예) 계단을 4칸 올라간 자리에서 5칸을 다시 내려가면, 1칸 내려간 것과 같습니다.

계산을 하세요.

① (-2)+(-3)=　② (+4)+(-7)=
③ (+2)+(+1)=　④ (-4)+(+4)=
⑤ (-5)+(+3)=　⑥ (-2)+(+4)=
⑦ (+5)+(+1)=　⑧ (+3)+(+8)=

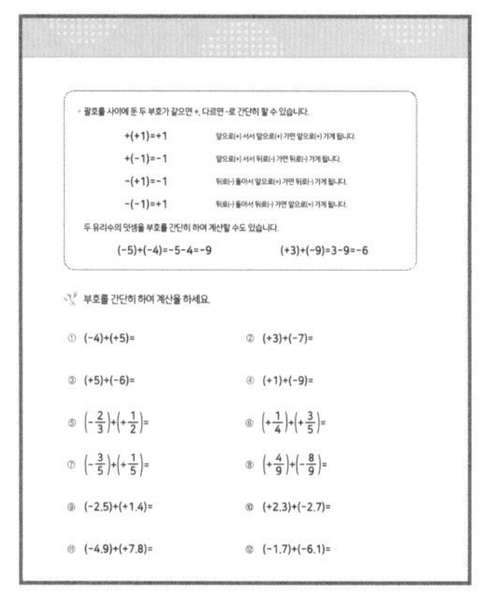

- 괄호를 사이에 둔 두 부호가 같으면 +, 다르면 -로 간단히 할 수 있습니다.

+(+1)=+1　앞으로(+) 서서 앞으로(+) 가면 앞으로(+) 가게 됩니다.
+(-1)=-1　앞으로(+) 서서 뒤로(-) 가면 뒤로(-) 가게 됩니다.
-(+1)=-1　뒤로(-) 돌아서 앞으로(+) 가면 뒤로(-) 가게 됩니다.
-(-1)=+1　뒤로(-) 돌아서 뒤로(-) 가면 앞으로(+) 가게 됩니다.

두 유리수의 덧셈을 부호를 간단히 하여 계산할 수도 있습니다.

(-5)+(-4)=-5-4=-9　(+3)+(-9)=3-9=-6

부호를 간단히 하여 계산을 하세요.

① (-4)+(+5)=　② (+3)+(-7)=
③ (+5)+(-6)=　④ (+1)+(-9)=
⑤ $\left(-\frac{2}{3}\right)+\left(+\frac{1}{2}\right)=$　⑥ $\left(+\frac{1}{4}\right)+\left(+\frac{3}{5}\right)=$
⑦ $\left(-\frac{3}{5}\right)+\left(+\frac{1}{5}\right)=$　⑧ $\left(+\frac{4}{9}\right)+\left(-\frac{8}{9}\right)=$
⑨ (-2.5)+(+1.4)=　⑩ (+2.3)+(-2.7)=
⑪ (-4.9)+(+7.8)=　⑫ (-1.7)+(-6.1)=

계산을 하세요.

① (+8)+(+4)=　② (-10)+(-3)=　③ (+6)+(-15)=
④ (-5)+(+12)=　⑤ (-14)+(+7)=　⑥ (-28)+(-9)=
⑦ (+11)+(-7)=　⑧ (-8)+(+13)=　⑨ (-10)+(-6)=
⑩ $\left(+\frac{1}{5}\right)+\left(+\frac{2}{15}\right)=$　⑪ $\left(+\frac{5}{12}\right)+\left(-\frac{1}{6}\right)=$　⑫ $\left(-\frac{1}{4}\right)+\left(+\frac{5}{6}\right)=$
⑬ $\left(-\frac{2}{5}\right)+\left(-\frac{3}{10}\right)=$　⑭ $\left(+\frac{2}{3}\right)+\left(+\frac{1}{6}\right)=$　⑮ $\left(+\frac{1}{3}\right)+\left(-\frac{7}{12}\right)=$
⑯ (-2.8)+(-5.3)=　⑰ (-4.3)+(+1.3)=　⑱ (+7.1)+(-5.6)=
⑲ (-3.5)+(-6.1)=　⑳ (+3.1)+(-2)=　㉑ (+8.4)+(-3.8)=

연습

기본 연습 문제를 중심으로 여러 형태의 문제로 지루하지 않게 반복하여 연습할 수 있도록 구성하였습니다.

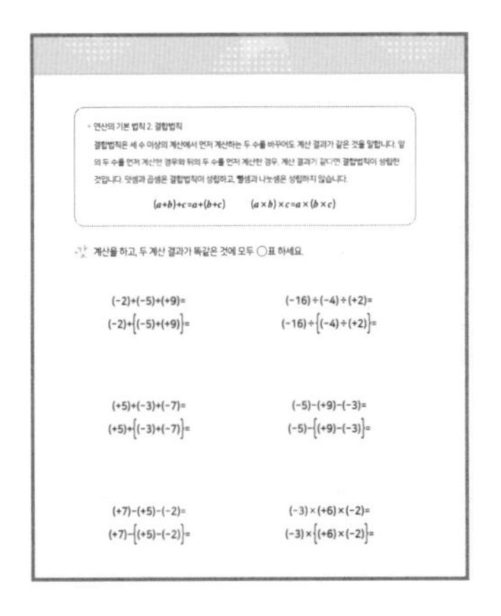

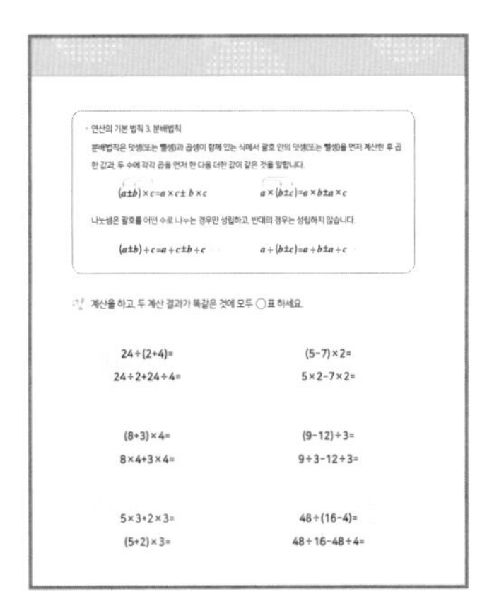

도전! 계산왕

집중 연습에 동기 부여가 되도록 앱을 이용하여 편리하게 시간을 측정하며 공부할 수 있습니다. 정확성과 빠른 계산을 위한 집중 연습으로 주제를 마무리합니다.

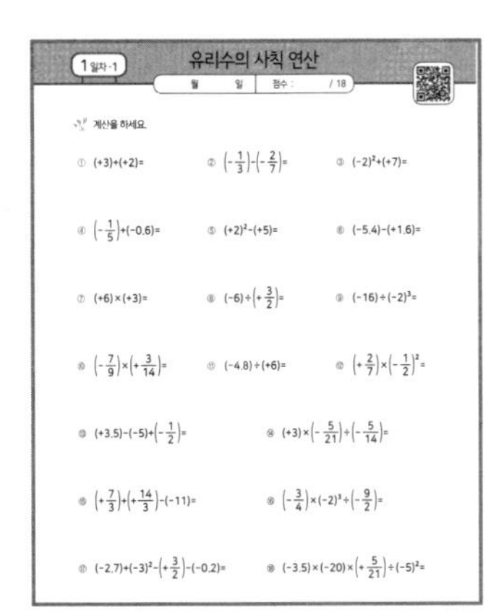

천종현수학연구소 앱을 이용하여 QR코드를 스캔하면 시간을 편리하게 재면서 공부할 수 있고, 다른 학생들의 평균 시간을 확인할 수 있습니다.

평균 시간은 실시간으로 바뀝니다. 시간은 정답률과는 무관한 참고 자료일 뿐, 반드시 시간 안에 풀어야 하는 것은 아닙니다.

학습 가이드

매주차 마다 첫 페이지에 학부모를 위한 학습 가이드를 수록하였고, 내용에 따라서 아래에 학습 Tip를 제시하였습니다.

천종현수학연구소 앱의 도움을 받아보세요.

앱을 다운로드하고 회원 가입을 하세요. 회원을 구분할 수 있는 이메일 외에 어떤 개인 정보도 받지 않으며, 가족 한 명만 가입을 하고 사용자 등록을 하여 사용할 수 있습니다.

회원가입을 했다면 앱 사용 방법을 먼저 확인하고 활용해 보세요.

메뉴
사용자 등록, 연산 도전 내역, 동영상 시청 이력 등 여러 가지 메뉴 안내

QR코드 스캔
초등 원리셈의 '도전! 계산왕'의 시간을 재고 다른 친구들의 기록과 비교 가능

동영상 강의
천종현수학연구소의 동영상 강의를 카테고리별로 검색하여 시청 가능

연산 챔피언!
연산도 재미있게!!
연산의 가장 기본이 되는 덧셈, 뺄셈 연산 게임. 단, 하루에 도전은 3번만 가능

홈페이지
홈페이지의 회원은 앱 회원과 연동되므로 별도의 회원 가입이 필요 없이 자료실 이용 가능. 자료실에는 원리셈 추가 문제, 연산 테스트지 등 다운로드 가능

요청 및 상담
수학에 관해 궁금한 점 상담이나 동영상 강의 요청

앱 사용 방법
전반적인 앱의 사용 방법 안내

앱 다운로드

1주차 동영상 강의 바로가기

1주차

유리수의 덧셈과 뺄셈

정수와 유리수의 덧셈과 뺄셈을 계산하는 원리를 알고, 간단히 하여 계산할 수 있도록 합니다. 덧셈, 뺄셈을 (+), (-) 부호가 있는 수의 덧셈으로 고쳐서 계산하는 방법도 있고, 덧셈, 뺄셈의 기호와 (+), (-) 부호를 같은 것으로 생각하여 식을 간단히 바꿔 계산하는 방법도 있습니다. 두 번째 방법으로 연습하면 복잡하지 않기 때문에 실수가 적습니다.

1 일차

정수의 수직선 연산

• 정수는 양의 정수, 0, 음의 정수로 나누어 집니다.

정수
- 양의 정수(=자연수) : 자연수에 양의 부호(+)를 붙인 수
  +1, +2, +3, +4, +5, …
- 0
- 음의 정수 : 자연수에 음의 부호(-)를 붙인 수
  -1, -2, -3, -4, -5, …

덧셈, 뺄셈을 수직선에서 커지는 방향, 작아지는 방향으로 이동하는 것으로 생각할 수 있습니다.

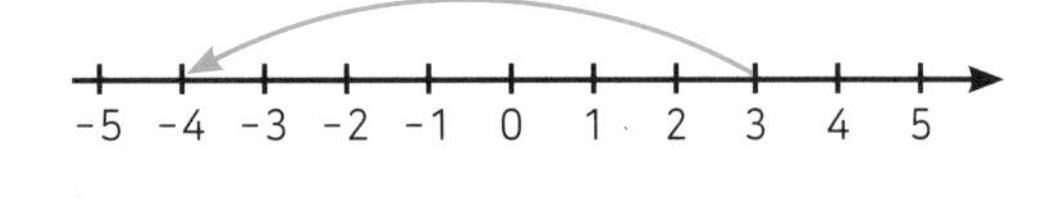

3에서 작아지는 방향(-)으로 7만큼 이동하면 -4입니다.

3-7=-4

-5 -4 -3 -2 -1 0 1 2 3 4 5

-2에서 커지는 방향(+)으로 5만큼 이동하면 3입니다.

-2+5=3

식을 수직선에 화살표로 나타내고 계산을 하세요.

① **2-5=**

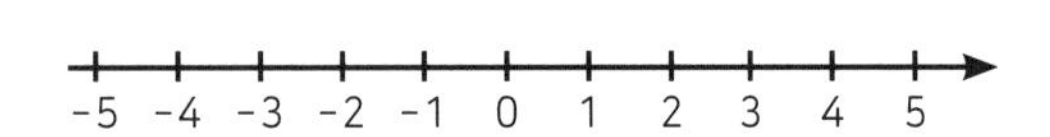

② **-3+6=**

-5 -4 -3 -2 -1 0 1 2 3 4 5

③ **-5+7=**

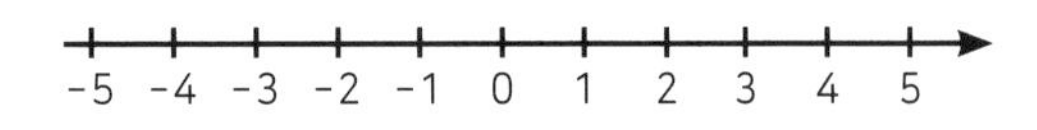

④ **3-4=**

-5 -4 -3 -2 -1 0 1 2 3 4 5

Tip

수직선을 계단에 비유할 수도 있습니다. 3에 서서 아래로(-) 7만큼 내려가면 -4에 도착하게 됩니다.

- 정수는 두 부분으로 나눌 수 있습니다. (+), (−)를 부호, 숫자로 쓴 부분을 절댓값이라고 합니다.

(+)는 커지는 방향, (−)는 작아지는 방향을 나타냅니다.

-3: 부호 ← − / 3 → 절댓값

절댓값은 크기를 나타내는 값으로 수를 수직선에 나타내었을 때 0으로부터 떨어진 거리입니다.

부호가 같으면 절댓값을 더하고 같은 부호를 붙입니다. 이때 앞에 다른 수가 없는 양의 정수는 (+)부호를 생략할 수 있습니다.

$4+6=10$ $-3-2=-5$

$+4+6=+10$

부호가 다르면 절댓값의 차를 계산하고 절댓값이 더 큰 수의 부호를 붙입니다.

$3-8=-(8-3)=-5$ $-6+4=-(6-4)=-2$

$5-2=+(5-2)=3$ $-3+7=+(7-3)=4$

계산을 하세요.

① $3-4=$ ② $-2+5=$ ③ $-4+6=$

④ $-1-7=$ ⑤ $-3-4=$ ⑥ $8-9=$

⑦ $4+1=$ ⑧ $2-7=$ ⑨ $-1+6=$

계산을 하세요.

① $-3-3=$

② $-4+2=$

③ $-2-8=$

④ $5-7=$

⑤ $-1+6=$

⑥ $9-15=$

⑦ $-12+4=$

⑧ $11-20=$

⑨ $-8+17=$

⑩ $15-19=$

⑪ $-20-13=$

⑫ $-13+4=$

⑬ $-11-5=$

⑭ $14-21=$

⑮ $-29+18=$

유리수의 덧셈

- 유리수는 분수로 나타낼 수 있는 수를 말합니다. 정수와 정수가 아닌 유리수로 나눌 수 있습니다.

유리수
- 정수 : …, −3, −2, −1, 0, 1, 2, 3, …
- 정수가 아닌 유리수 : +1.2, −0.03, $\frac{1}{4}$, $-\frac{3}{5}$, …

부호가 같은 두 수의 덧셈은 절댓값끼리 더한 후 공통 부호를 붙입니다.

$(+2)+(+3)=+(2+3)=+5$　　　$(-4)+(-1)=-(4+1)=-5$

수직선에서 방향이 같은(부호가 같은) 둘을 더하면 같은 방향으로(같은 부호) 크기가(절댓값이) 더해집니다.
예) 계단을 2칸 올라가고 이어서 3칸을 더 올라가면, 5칸 올라간 것과 같습니다.

부호가 다른 두 수의 덧셈은 절댓값의 차에 절댓값이 큰 수의 부호를 붙입니다.

$(+4)+(-5)=-(5-4)=-1$　　　$(-3)+(+5)=+(5-3)=+2$

수직선에서 방향이 다른(부호가 다른) 둘을 더하면 크기가 큰 방향으로(절댓값이 큰 방향) 크기의 차이가 남습니다.
예) 계단을 4칸 올라간 자리에서 5칸을 다시 내려가면, 1칸 내려간 것과 같습니다.

계산을 하세요.

① $(-2)+(-3)=$

② $(+4)+(-7)=$

③ $(+2)+(+1)=$

④ $(-4)+(+4)=$

⑤ $(-5)+(+3)=$

⑥ $(-2)+(+4)=$

⑦ $(+5)+(+1)=$

⑧ $(+3)+(+8)=$

- 괄호를 사이에 둔 두 부호가 같으면 +, 다르면 -로 간단히 할 수 있습니다.

$+(+1)=+1$	앞으로(+) 서서 앞으로(+) 가면 앞으로(+) 가게 됩니다.
$+(-1)=-1$	앞으로(+) 서서 뒤로(-) 가면 뒤로(-) 가게 됩니다.
$-(+1)=-1$	뒤로(-) 돌아서 앞으로(+) 가면 뒤로(-) 가게 됩니다.
$-(-1)=+1$	뒤로(-) 돌아서 뒤로(-) 가면 앞으로(+) 가게 됩니다.

두 유리수의 덧셈을 부호를 간단히 하여 계산할 수도 있습니다.

$(-5)+(-4)=-5-4=-9$ $(+3)+(-9)=3-9=-6$

부호를 간단히 하여 계산을 하세요.

① $(-4)+(+5)=$

② $(+3)+(-7)=$

③ $(+5)+(-6)=$

④ $(+1)+(-9)=$

⑤ $\left(-\frac{2}{3}\right)+\left(+\frac{1}{2}\right)=$

⑥ $\left(+\frac{1}{4}\right)+\left(+\frac{3}{5}\right)=$

⑦ $\left(-\frac{3}{5}\right)+\left(+\frac{1}{5}\right)=$

⑧ $\left(+\frac{4}{9}\right)+\left(-\frac{8}{9}\right)=$

⑨ $(-2.5)+(+1.4)=$

⑩ $(+2.3)+(-2.7)=$

⑪ $(-4.9)+(+7.8)=$

⑫ $(-1.7)+(-6.1)=$

계산을 하세요.

① $(+8)+(+4)=$

② $(-10)+(-3)=$

③ $(+6)+(-15)=$

④ $(-5)+(+12)=$

⑤ $(-14)+(+7)=$

⑥ $(-28)+(-9)=$

⑦ $(+11)+(-7)=$

⑧ $(-8)+(+13)=$

⑨ $(-10)+(-6)=$

⑩ $\left(+\frac{1}{5}\right)+\left(+\frac{2}{15}\right)=$

⑪ $\left(+\frac{5}{12}\right)+\left(-\frac{1}{6}\right)=$

⑫ $\left(-\frac{1}{4}\right)+\left(+\frac{5}{6}\right)=$

⑬ $\left(-\frac{2}{5}\right)+\left(-\frac{3}{10}\right)=$

⑭ $\left(+\frac{2}{3}\right)+\left(+\frac{1}{6}\right)=$

⑮ $\left(+\frac{1}{3}\right)+\left(-\frac{7}{12}\right)=$

⑯ $(-2.8)+(-5.3)=$

⑰ $(-4.3)+(+1.3)=$

⑱ $(+7.1)+(-5.6)=$

⑲ $(-3.5)+(-6.1)=$

⑳ $(+3.1)+(-2)=$

㉑ $(+8.4)+(-3.8)=$

유리수의 뺄셈

- 유리수의 뺄셈은 덧셈으로 고쳐서 계산할 수 있습니다.

양수를 빼는 경우 빼는 부호(-)와 수의 부호(+)를 서로 바꾸어 더합니다.

$(+2)-(+4)=(+2)+(-4)=-2$　　$(-3)-(+2)=(-3)+(-2)=-5$

더하기와 빼기도 양의 부호, 음의 부호와 같이 방향으로 생각할 수 있습니다. -(+ 4)는 뒤로 돌아서 앞으로 가는 것, + (- 4)는 앞으로 서서 뒤로 가는 것으로 둘은 서로 같은 것입니다.

음수를 빼는 경우 빼는 부호(-)와 수의 부호(-)를 모두 (+)로 바꾸어 더합니다.

$(+3)-(-5)=(+3)+(+5)=+8$　　$(-6)-(-2)=(-6)+(+2)=-4$

- (- 4)는 뒤로 돌아서 뒤로 가는 것이므로 + (+ 4)의 앞으로 서서 앞으로 가는 것과 서로 같습니다.

계산을 하세요.

① $(-2)-(-3)=$

② $(+4)-(-7)=$

③ $(+2)-(+1)=$

④ $(-4)-(+4)=$

⑤ $(-5)-(+3)=$

⑥ $(-2)-(-4)=$

⑦ $(+5)-(+1)=$

⑧ $(+3)-(-8)=$

Tip
양의 정수는 양수, 음의 정수는 음수로 줄여서 사용합니다.

- 두 유리수의 덧셈과 마찬가지로 뺄셈도 부호를 간단히 하여 계산할 수 있습니다.

$(-4)-(-9)=-4+9=5$ $(+3)-(+9)=3-9=-6$

부호를 간단히 하여 계산을 하세요.

① $(+5)-(-1)=$

② $(+1)-(-4)=$

③ $(-3)-(+6)=$

④ $(-5)-(-1)=$

⑤ $\left(+\frac{3}{4}\right)-\left(+\frac{1}{2}\right)=$

⑥ $\left(-\frac{1}{5}\right)-\left(+\frac{3}{5}\right)=$

⑦ $\left(+\frac{1}{3}\right)-\left(+\frac{5}{12}\right)=$

⑧ $\left(+\frac{3}{10}\right)-\left(-\frac{1}{5}\right)=$

⑨ $(-1.5)-(+1.2)=$

⑩ $(-2.3)-(-1.7)=$

⑪ $(+4.1)-(-0.9)=$

⑫ $(+3.2)-(+5.9)=$

계산을 하세요.

① $(-5)-(+10)=$

② $(-1)-(+6)=$

③ $(+8)-(+3)=$

④ $(+7)-(-2)=$

⑤ $(-12)-(+5)=$

⑥ $(-18)-(-2)=$

⑦ $(+17)-(+9)=$

⑧ $(-9)-(-14)=$

⑨ $(+21)-(+27)=$

⑩ $\left(+\frac{2}{5}\right)-\left(-\frac{4}{15}\right)=$

⑪ $\left(-\frac{7}{8}\right)-\left(-\frac{1}{4}\right)=$

⑫ $\left(-\frac{3}{4}\right)-\left(+\frac{1}{6}\right)=$

⑬ $\left(+\frac{3}{5}\right)-\left(-\frac{3}{10}\right)=$

⑭ $\left(-\frac{1}{2}\right)-\left(-\frac{7}{10}\right)=$

⑮ $\left(-\frac{3}{5}\right)-\left(-\frac{7}{20}\right)=$

⑯ $(-3.6)-(+2.3)=$

⑰ $(-1.9)-(-5.7)=$

⑱ $(-10.5)-(+4.7)=$

⑲ $(+6.8)-(-6.5)=$

⑳ $(+7.7)-(+11.6)=$

㉑ $(-12.9)-(-8.4)=$

덧셈과 뺄셈의 혼합 계산

월 일

- 덧셈과 뺄셈의 혼합 계산은 뺄셈을 덧셈으로 고쳐서 계산합니다.

  $-(-2)$는 $+(+2)$로, $-(+2)$는 $+(-2)$로 고쳐서 모두 덧셈으로 계산합니다.

$$(-4)+(-2)-(-7)=(-4)+(-2)+(+7)=+1$$

$$(+5)-(+2)+(-3)=(+5)+(-2)+(-3)=0$$

계산을 하세요.

① $(+4)-(-1)-(+8)=$

② $(+5)+(-12)-(-2)=$

③ $(+5)-(-7)+(+9)=$

④ $(-3)+(+7)+(-10)=$

⑤ $\left(-\frac{3}{7}\right)-\left(+\frac{1}{14}\right)-\left(+\frac{1}{2}\right)=$

⑥ $\left(-\frac{2}{3}\right)-\left(+\frac{1}{2}\right)+\left(+\frac{5}{12}\right)=$

⑦ $\left(-\frac{1}{4}\right)+\left(+\frac{2}{3}\right)-\left(+\frac{5}{6}\right)=$

⑧ $\left(+\frac{3}{4}\right)-\left(+\frac{1}{2}\right)+\left(+\frac{5}{12}\right)=$

⑨ $(-5.5)+(+1.7)+(-3.5)=$

⑩ $(-1.2)-(+7.1)-(-5.6)=$

⑪ $(+1.4)-(-5.2)+(-3.7)=$

⑫ $(+4.6)-(+2.3)+(-5.8)=$

- 세 수의 계산도 부호를 간단히 하여 계산할 수 있습니다.

$$(-4)+(-2)-(-7)=-4-2+7=1$$

$$(+5)-(+2)+(-3)=5-2-3=0$$

부호를 간단히 하여 계산을 하세요.

① $(-6)+(+2)-(-3)=$

② $(+13)-(-4)+(+7)=$

③ $(-3)-(+1)+(-7)=$

④ $(+6)-(-8)-(+5)=$

⑤ $\left(-\frac{1}{3}\right)+\left(+\frac{5}{6}\right)+\left(+\frac{1}{2}\right)=$

⑥ $\left(+\frac{13}{15}\right)-\left(+\frac{1}{5}\right)+\left(-\frac{5}{9}\right)=$

⑦ $\left(+\frac{5}{6}\right)-\left(+\frac{3}{4}\right)-\left(-\frac{2}{3}\right)=$

⑧ $\left(+\frac{8}{9}\right)+\left(-\frac{5}{6}\right)-\left(+\frac{2}{3}\right)=$

⑨ $(-3.1)+(+7.9)-(-4.4)=$

⑩ $(-8.5)+(+10.1)-(-2.4)=$

⑪ $(+7.6)-(-11.8)-(+6.7)=$

⑫ $(+9.7)+(-12.5)-(+1.4)=$

부호를 간단히 하여 계산을 하세요.

① $(-8)-(+2)+(-5)=$

② $(+4)+(+9)-(-13)=$

③ $(+3)-(-7)-(-8)=$

④ $(-10)+(+7)+(+12)=$

⑤ $(-13)+(-9)-(-7)-(+4)=$

⑥ $(+5)-(-11)+(-14)+(-9)=$

⑦ $\left(+\frac{2}{3}\right)-\left(-\frac{1}{3}\right)+\left(+\frac{4}{9}\right)=$

⑧ $\left(-\frac{3}{4}\right)+\left(-\frac{2}{5}\right)-\left(-\frac{13}{20}\right)=$

⑨ $\left(+\frac{4}{5}\right)+\left(-\frac{2}{12}\right)+\left(+\frac{2}{3}\right)-\left(+\frac{1}{2}\right)=$

⑩ $\left(+\frac{1}{4}\right)-\left(+\frac{2}{3}\right)-\left(+\frac{5}{12}\right)+\left(+\frac{1}{2}\right)=$

⑪ $(-1.3)+(+4.2)-(-2.7)=$

⑫ $(-7.9)-(-3.8)+(+9.9)=$

⑬ $(-12.8)-(-5.1)+(-13.3)-(+6.2)=$

⑭ $(+15.5)+(-6.3)-(-2.7)-(+8.4)=$

덧셈과 뺄셈 연습

계산을 하세요.

① $-9+6=$

② $3+7=$

③ $-12+8=$

④ $(-4)+(-1)=$

⑤ $(+14)+(-20)=$

⑥ $(-5)+(+11)=$

⑦ $(+27)+(-15)=$

⑧ $(-16)+(+9)=$

⑨ $(-32)+(-7)=$

⑩ $-\frac{2}{3}+\frac{1}{2}=$

⑪ $\frac{3}{8}+\frac{3}{4}=$

⑫ $-\frac{2}{5}+\frac{4}{15}=$

⑬ $\left(-\frac{3}{5}\right)+\left(-\frac{3}{4}\right)=$

⑭ $\left(-\frac{11}{10}\right)+\left(+\frac{4}{5}\right)=$

⑮ $\left(-\frac{5}{7}\right)+\left(+\frac{1}{3}\right)=$

⑯ $-3.7+3.4=$

⑰ $2.5+4.6=$

⑱ $-8.4+2.7=$

⑲ $(+10.6)+(-5.5)=$

⑳ $(-12.1)+(-8.3)=$

㉑ $(+9.9)+(-21.8)=$

계산을 하세요.

① $-4-7=$

② $8-9=$

③ $6-4=$

④ $(+15)-(+20)=$

⑤ $(-21)-(-4)=$

⑥ $(-10)-(-14)=$

⑦ $(+16)-(+24)=$

⑧ $(+22)-(-7)=$

⑨ $(-18)-(+25)=$

⑩ $\frac{7}{3}-\frac{3}{2}=$

⑪ $-\frac{2}{9}-\frac{1}{3}=$

⑫ $\frac{5}{6}-\frac{3}{5}=$

⑬ $\left(-\frac{2}{3}\right)-\left(-\frac{8}{9}\right)=$

⑭ $\left(-\frac{5}{4}\right)-\left(+\frac{7}{10}\right)=$

⑮ $\left(-\frac{5}{8}\right)-\left(-\frac{3}{10}\right)=$

⑯ $-0.9-8.4=$

⑰ $2.7-7.3=$

⑱ $11.8-5.7=$

⑲ $(-10.2)-(-1.5)=$

⑳ $(+25.9)-(-4.8)=$

㉑ $(-2.9)-(+21.5)=$

계산을 하세요.

① $-8-1+4=$

② $6+7-13=$

③ $(+8)-(-5)-(+10)=$

④ $(-7)+(-11)+(+12)=$

⑤ $(+24)+(-8)-(-9)-(+15)=$

⑥ $(+5)-(-11)+(-14)+(-9)=$

⑦ $-\frac{1}{3}-\frac{2}{3}+\frac{2}{9}=$

⑧ $-\frac{3}{5}-\frac{2}{15}-\frac{1}{3}=$

⑨ $\left(+\frac{4}{3}\right)+\left(-\frac{4}{15}\right)+\left(+\frac{1}{2}\right)-\left(+\frac{4}{5}\right)=$

⑩ $\left(+\frac{3}{4}\right)-\left(+\frac{1}{3}\right)+\left(+\frac{7}{12}\right)+\left(+\frac{1}{2}\right)=$

⑪ $-1.1+4.8-2.3=$

⑫ $-5.6+3.8+10.9=$

⑬ $(-13.9)-(-5.8)+(+14.7)-(+7.1)=$

⑭ $(+12.5)+(-4.3)-(-3.9)-(+11.8)=$

2주차 동영상 강의 바로가기

2주차

유리수의 곱셈과 나눗셈

정수와 유리수의 곱셈과 나눗셈을 계산하는 원리를 알고, 계산할 수 있도록 합니다. 부호만 먼저 계산한다면 나머지 계산은 자연수의 곱셈, 나눗셈과 똑같습니다.

유리수의 곱셈

- 부호가 같은 두 수의 곱셈의 계산 결과는 (+)가 됩니다.

$(+2)\times(+3)=+6$　　　$(-2)\times(-3)=+6$

부호가 다른 두 수의 곱셈의 계산 결과는 (-)가 됩니다.

$(+2)\times(-3)=-6$　　　$(-2)\times(+3)=-6$

계산을 하세요.

① $(-3)\times(+9)=$

② $(-4)\times(-2)=$

③ $(+7)\times(+4)=$

④ $(+9)\times(-5)=$

⑤ $(-11)\times(+3)=$

⑥ $(-13)\times(-5)=$

⑦ $\left(+\frac{2}{3}\right)\times(-6)=$

⑧ $\left(+\frac{2}{3}\right)\times\left(+\frac{6}{5}\right)=$

⑨ $\left(+\frac{1}{6}\right)\times\left(-\frac{15}{2}\right)=$

⑩ $\left(+\frac{5}{7}\right)\times(+0.8)=$

⑪ $(-6)\times\left(+\frac{4}{9}\right)=$

⑫ $\left(+\frac{7}{10}\right)\times(-1.2)=$

⑬ $(-2.5)\times(-8)=$

⑭ $(+3.4)\times(-0.5)=$

⑮ $\left(-\frac{10}{3}\right)\times(+2.4)=$

Tip

소수와 분수의 곱셈이나 나눗셈은 소수를 분수로 고쳐서 계산합니다.

- 부호의 곱셈은 방향으로 쉽게 이해할 수 있습니다.

$(+)\times(+)=(+)$	앞으로(+) 서서 앞으로(+) 가면 앞으로(+) 가게 됩니다.
$(+)\times(-)=(-)$	앞으로(+) 서서 뒤로(-) 가면 뒤로(-) 가게 됩니다.
$(-)\times(+)=(-)$	뒤로(-) 돌아서 앞으로(+) 가면 뒤로(-) 가게 됩니다.
$(-)\times(-)=(+)$	뒤로(-) 돌아서 뒤로(-) 가면 앞으로(+) 가게 됩니다.

계산을 하세요.

① $(+3)\times(-3)=$

② $(+5)\times(+9)=$

③ $(-8)\times(-11)=$

④ $(-4)\times(+7)=$

⑤ $(+6)\times(-12)=$

⑥ $(-7)\times(+13)=$

⑦ $\left(+\frac{5}{7}\right)\times\left(-\frac{14}{15}\right)=$

⑧ $\left(-\frac{3}{5}\right)\times\left(+\frac{5}{9}\right)=$

⑨ $\left(-\frac{5}{12}\right)\times\left(-\frac{3}{10}\right)=$

⑩ $\left(-\frac{5}{7}\right)\times(-3)=$

⑪ $\left(+\frac{3}{10}\right)\times(-4)=$

⑫ $\left(+\frac{7}{9}\right)\times\left(+\frac{3}{14}\right)=$

⑬ $(-1.6)\times(-0.5)=$

⑭ $(+4.8)\times\left(-\frac{5}{8}\right)=$

⑮ $(-2.2)\times(+5)=$

⑯ $(+0.6)\times(+6.5)=$

⑰ $(-1.8)\times(-1.5)=$

⑱ $(-5.2)\times(+1.5)=$

계산을 하세요.

① $(-3)\times(+9)=$

② $(+6)\times(-8)=$

③ $(-2.3)\times(-7)=$

④ $\left(+\frac{9}{5}\right)\times\left(+\frac{2}{3}\right)=$

⑤ $(-4.4)\times(+1.5)=$

⑥ $(+7)\times(-14)=$

⑦ $(-4)\times(-12)=$

⑧ $\left(+\frac{3}{5}\right)\times(-3)=$

⑨ $\left(-\frac{7}{10}\right)\times\left(+\frac{8}{7}\right)=$

⑩ $(+0.4)\times(-6)=$

⑪ $(-13)\times(-12)=$

⑫ $(+3.4)\times(+2.5)=$

⑬ $\left(-\frac{8}{15}\right)\times\left(-\frac{5}{2}\right)=$

⑭ $(-15)\times(+5)=$

⑮ $(-6.8)\times(-4.5)=$

⑯ $(+7.4)\times(-7)=$

⑰ $\left(+\frac{8}{3}\right)\times\left(-\frac{9}{4}\right)=$

⑱ $(+12)\times(-6)=$

⑲ $(+10.5)\times(-2.4)=$

⑳ $\left(-\frac{25}{8}\right)\times(-4)=$

㉑ $(-27)\times(+8)=$

세 수 이상의 곱셈

• 세 수 이상의 곱셈은 곱해지는 음수의 개수로 부호가 결정됩니다. 음수는 둘씩 짝지어서 양수로 바뀌기 때문에 짝수 개이면 곱이 양수가 되고, 홀수 개이면 곱이 음수가 됩니다.

$$(-1)\times(-2)\times(-3)=-6$$

$$(+1)\times(-2)\times(-3)=+6$$

계산을 하세요.

① $(-8)\times(+3)\times(-2)=$

② $(+2)\times(+9)\times(-3)=$

③ $(+3)\times(-6)\times(-2)=$

④ $(+1)\times(-7)\times(+8)=$

⑤ $\left(+\frac{2}{3}\right)\times(-3)\times\left(+\frac{2}{9}\right)=$

⑥ $\left(+\frac{1}{2}\right)\times\left(-\frac{2}{3}\right)\times\left(+\frac{9}{4}\right)=$

⑦ $\left(+\frac{1}{5}\right)\times\left(-\frac{5}{2}\right)\times\left(+\frac{4}{5}\right)=$

⑧ $\left(-\frac{3}{4}\right)\times\left(+\frac{3}{8}\right)\times\left(-\frac{4}{3}\right)=$

⑨ $(-1.5)\times(+4)\times(-2.7)=$

⑩ $(-2.3)\times(+5)\times(-3.4)=$

⑪ $(+3.8)\times(+2)\times(-3)=$

⑫ $(+7)\times(-1.5)\times(+2.4)=$

- 같은 수를 반복해서 곱한 것을 거듭제곱이라고 합니다. 거듭제곱은 곱한 수의 개수를 오른쪽 위에 작게 씁니다.

$-2^2=-2\times2=-4$

숫자 위에 수를 쓰면 부호를 제외한 2의 제곱이라는 뜻입니다.

$(-2)^2=(-2)\times(-2)=4$

괄호 위에 수를 쓰면 부호를 포함한 - 2의 제곱이라는 뜻입니다.

계산을 하세요.

① $(-3)^2=$

② $2^3=$

③ $(-3)^3=$

④ $\left(-\frac{1}{2}\right)^2=$

⑤ $-4^2=$

⑥ $\left(-\frac{1}{2}\right)^3=$

⑦ $5^2=$

⑧ $(-2)^3=$

⑨ $\left(\frac{1}{3}\right)^3=$

⑩ $-2^3=$

⑪ $-1^2=$

⑫ $(-3)^2=$

⑬ $(-1)^3=$

⑭ $\left(-\frac{1}{4}\right)^3=$

⑮ $\left(-\frac{1}{2}\right)^2=$

계산을 하세요.

① $(+2)\times(-3)\times(+5)=$

② $(-4)\times(-1)\times(-6)=$

③ $\left(-\frac{5}{7}\right)\times\left(-\frac{2}{15}\right)\times\left(+\frac{3}{10}\right)=$

④ $(-2)^2\times(+0.5)\times(+3)=$

⑤ $(+2.5)\times(-4)\times(-1)^2=$

⑥ $\left(+\frac{3}{4}\right)\times\left(-\frac{1}{6}\right)\times\left(+\frac{4}{7}\right)=$

⑦ $(-6)\times(+2)\times(+5)=$

⑧ $(-8)\times\left(-\frac{5}{6}\right)\times\left(+\frac{3}{5}\right)=$

⑨ $\left(-\frac{1}{2}\right)^2\times(-4)\times\left(+\frac{3}{4}\right)\times\left(-\frac{2}{3}\right)=$

⑩ $\left(+\frac{1}{3}\right)\times\left(-\frac{3}{4}\right)\times(-2)^2\times\left(-\frac{2}{5}\right)=$

⑪ $\left(+\frac{2}{3}\right)\times(-3)^3\times\left(+\frac{1}{2}\right)\times\left(+\frac{2}{9}\right)=$

⑫ $\left(-\frac{3}{7}\right)\times\left(-\frac{2}{3}\right)\times\left(+\frac{14}{9}\right)\times(-3)=$

⑬ $\left(-\frac{2}{9}\right)\times\left(+\frac{2}{3}\right)\times\left(+\frac{9}{10}\right)\times(-5)^2=$

⑭ $\left(+\frac{7}{8}\right)\times\left(+\frac{3}{14}\right)\times(+2)^2\times\left(-\frac{1}{2}\right)=$

유리수의 나눗셈

- 부호가 같은 두 수의 나눗셈의 계산 결과는 (+)가 됩니다.

$(+6) \div (+3) = +2$ $(-6) \div (-3) = +2$

부호가 다른 두 수의 나눗셈의 계산 결과는 (−)가 됩니다.

$(+6) \div (-3) = -2$ $(-6) \div (+3) = -2$

계산을 하세요.

① $(+24) \div (+6) =$

② $(-18) \div (-9) =$

③ $(+27) \div (-3) =$

④ $(-56) \div (+8) =$

⑤ $(-14) \div (-7) =$

⑥ $(+36) \div (+3) =$

⑦ $(+45) \div (-5) =$

⑧ $(-64) \div (+8) =$

⑨ $(-65) \div (-13) =$

⑩ $(+6.8) \div (+3.4) =$

⑪ $(-0.9) \div (-0.3) =$

⑫ $(+7.2) \div (-1.2) =$

⑬ $(-8) \div (+1.6) =$

⑭ $(-8.1) \div (+2.7) =$

⑮ $(+0.96) \div (-1.2) =$

⑯ $(+37.6) \div (+4) =$

⑰ $(-37.8) \div (-1.8) =$

⑱ $(+28.2) \div (-0.6) =$

- 두 수의 곱이 1일 때, 한 수를 다른 한 수의 역수라고 합니다.

$(-3)\times\left(-\frac{1}{3}\right)=1$ → -3의 역수는 $-\frac{1}{3}$이고, $-\frac{1}{3}$의 역수는 -3입니다.

유리수의 나눗셈은 나눗셈을 곱셈으로 고치고 나누는 수를 역수로 바꾸어서 곱셈을 계산합니다.

$$(+6)\div\left(-\frac{2}{3}\right)=(+6)\times\left(-\frac{3}{2}\right)=-9$$

계산을 하세요.

① $\left(+\frac{1}{2}\right)\div\left(-\frac{1}{4}\right)=$

② $(-6)\div\left(-\frac{1}{4}\right)=$

③ $(+0.3)\div\left(+\frac{6}{5}\right)=$

④ $\left(+\frac{2}{3}\right)\div\left(-\frac{1}{6}\right)=$

⑤ $\left(-\frac{4}{9}\right)\div\left(+\frac{8}{3}\right)=$

⑥ $(-0.9)\div\left(-\frac{3}{5}\right)=$

⑦ $(+0.4)\div\left(-\frac{10}{3}\right)=$

⑧ $\left(+\frac{3}{5}\right)\div\left(+\frac{1}{10}\right)=$

⑨ $\left(-\frac{8}{3}\right)\div(+6)=$

⑩ $\left(-\frac{5}{9}\right)\div(-10)=$

⑪ $\left(+\frac{4}{7}\right)\div(-8)=$

⑫ $(-4.5)\div\left(+\frac{6}{5}\right)=$

계산을 하세요.

① $(+32)\div(-8)=$

② $(-2.4)\div(+3)=$

③ $(-48)\div(-8)=$

④ $(+45)\div(-15)=$

⑤ $(-3.6)\div(-4)=$

⑥ $(+75)\div(+25)=$

⑦ $\left(-\frac{3}{4}\right)\div(+9)=$

⑧ $\left(-\frac{5}{8}\right)\div\left(+\frac{4}{5}\right)=$

⑨ $(-6)\div\left(-\frac{2}{3}\right)=$

⑩ $\left(+\frac{1}{2}\right)\div(-0.8)=$

⑪ $\left(+\frac{3}{4}\right)\div\left(-\frac{1}{2}\right)=$

⑫ $\left(-\frac{4}{15}\right)\div\left(+\frac{10}{21}\right)=$

⑬ $\left(+\frac{7}{9}\right)\div\left(+\frac{14}{3}\right)=$

⑭ $(-0.9)\div\left(-\frac{3}{5}\right)=$

⑮ $\left(-\frac{13}{15}\right)\div\left(+\frac{3}{5}\right)=$

⑯ $(+0.6)\div\left(-\frac{3}{7}\right)=$

⑰ $\left(-\frac{7}{20}\right)\div\left(+\frac{14}{15}\right)=$

⑱ $\left(+\frac{8}{9}\right)\div(-4)=$

⑲ $\left(-\frac{16}{21}\right)\div\left(-\frac{4}{7}\right)=$

⑳ $(+0.9)\div\left(-\frac{6}{25}\right)=$

㉑ $\left(-\frac{3}{10}\right)\div\left(-\frac{15}{32}\right)=$

곱셈과 나눗셈의 혼합 계산

- 곱셈과 나눗셈의 혼합 계산은 다음과 같은 순서로 계산합니다.

  1. 소수는 분수로 고칩니다.
  2. 나눗셈을 곱셈으로 고칩니다.
  3. 부호를 계산합니다. (-)가 짝수 개면 양수, 홀수 개면 음수입니다.
  4. 각 수의 절댓값을 모두 곱합니다.

계산을 하세요.

① $\left(-\frac{1}{4}\right)\div\left(+\frac{3}{4}\right)\times\left(-\frac{1}{3}\right)=$

② $\left(+\frac{4}{5}\right)\times\left(-\frac{5}{6}\right)\div(-0.5)=$

③ $\left(+\frac{5}{8}\right)\div\left(+\frac{5}{7}\right)\div\left(-\frac{7}{16}\right)=$

④ $\left(-\frac{2}{9}\right)\times\left(+\frac{5}{12}\right)\div\left(+\frac{5}{6}\right)=$

⑤ $\left(-\frac{8}{15}\right)\div\left(+\frac{5}{12}\right)\times\left(-\frac{5}{16}\right)=$

⑥ $(+0.9)\div\left(+\frac{3}{5}\right)\div\left(-\frac{9}{14}\right)=$

⑦ $(-0.5)\times\left(-\frac{2}{3}\right)\div\left(-\frac{2}{5}\right)=$

⑧ $\left(-\frac{3}{4}\right)\times(+4)\div(-0.3)=$

⑨ $\left(+\frac{8}{15}\right)\div\left(+\frac{1}{7}\right)\div(-0.8)=$

⑩ $\left(+\frac{1}{6}\right)\times\left(-\frac{2}{3}\right)\div\left(+\frac{2}{9}\right)=$

- 거듭제곱이 포함된 곱셈과 나눗셈의 혼합 계산은 다음과 같은 순서로 계산합니다

  1. 소수를 분수로 고칩니다.
  2. 거듭제곱을 계산하여 간단히 합니다.
  3. 나눗셈을 곱셈으로 고칩니다.
  4. 부호를 계산합니다. (-)가 짝수 개면 양수, 홀수 개면 음수입니다.
  5. 각 수의 절댓값을 모두 곱합니다.

계산을 하세요.

① $(-1.6)\div(-2)^2\times\left(-\frac{3}{2}\right)=$

② $\left(+\frac{9}{4}\right)\times(-2)^3\div(-0.5)=$

③ $(+2)^2\div\left(-\frac{10}{3}\right)\times(+6)=$

④ $(-2)^2\times\left(-\frac{3}{5}\right)\div\left(+\frac{12}{5}\right)=$

⑤ $(-4)\div(+0.3)\times\left(-\frac{3}{2}\right)^3=$

⑥ $(+2.5)\div(-3)^2\div(-10)=$

⑦ $\left(+\frac{2}{3}\right)\div\left(-\frac{1}{3}\right)^2\div\left(-\frac{6}{5}\right)=$

⑧ $\left(-\frac{1}{2}\right)^2\times\left(-\frac{3}{10}\right)\div\left(-\frac{1}{5}\right)=$

⑨ $(-1)^3\div(+2.5)\div\left(+\frac{4}{15}\right)=$

⑩ $\left(-\frac{12}{5}\right)\times(-9)\div(-3)^2=$

계산을 하세요.

① $(+1.8)\div(-1.2)\times\left(+\frac{7}{2}\right)=$

② $\left(-\frac{9}{4}\right)\times(-0.8)\div(+2.4)=$

③ $\left(+\frac{4}{5}\right)^2\div(+0.8)\times(-5)=$

④ $\left(+\frac{4}{5}\right)\div(-0.3)\times\left(-\frac{3}{2}\right)^2=$

⑤ $(-0.8)\div\left(-\frac{1}{5}\right)^2\times\left(-\frac{7}{5}\right)=$

⑥ $\left(+\frac{5}{2}\right)^2\times(-2.4)\div(-9)=$

⑦ $\left(-\frac{11}{5}\right)\div(+0.5)\times(-5)^2\div\left(-\frac{2}{5}\right)=$

⑧ $\left(-\frac{19}{4}\right)\times(-1.2)\div(+1.9)\times(-2)^2=$

⑨ $(+3)\div\left(+\frac{3}{4}\right)\div(-2)^3\times(+0.5)=$

⑩ $\left(-\frac{1}{2}\right)\times(+0.3)\div(+0.6)^2\div\left(+\frac{5}{4}\right)=$

⑪ $(-7)\div\left(-\frac{1}{2}\right)^3\times(-0.4)\div\left(-\frac{7}{9}\right)=$

⑫ $(+0.7)\div\left(-\frac{3}{5}\right)\div\left(-\frac{14}{9}\right)\times(+10)=$

곱셈과 나눗셈 연습

계산을 하세요.

① $(-2)\times(+3)^2=$

② $(+5)\times(-2)^3=$

③ $(-1.7)\times(-6)=$

④ $\left(+\frac{3}{2}\right)^2\times\left(+\frac{2}{3}\right)=$

⑤ $(-4.2)\times\left(+\frac{5}{7}\right)=$

⑥ $(-9)\times(-14)=$

⑦ $(-4)\times(-2.6)=$

⑧ $\left(+\frac{3}{5}\right)\times(-3)^2=$

⑨ $(-0.8)\times(-6)=$

⑩ $(+0.2)^2\times(-5)=$

⑪ $(-11)\times(-8)=$

⑫ $(+6)\times(+2.5)=$

⑬ $\left(-\frac{8}{15}\right)\times\left(-\frac{5}{2}\right)=$

⑭ $\left(-\frac{4}{5}\right)\times(-5)^2=$

⑮ $(-3.2)\times(-6.5)=$

⑯ $(+12.4)\times(-4)=$

⑰ $\left(+\frac{4}{3}\right)\times\left(-\frac{3}{2}\right)^2=$

⑱ $(-3)^3\times(+2)^2=$

⑲ $(+0.5)^2\times(-2.4)=$

⑳ $\left(-\frac{5}{2}\right)^2\times(-4)=$

㉑ $(-2)^3\times(+2)^2=$

계산을 하세요.

① $(+30)\div(-6)=$

② $(-2.5)\div(+5)=$

③ $(-49)\div(+7)=$

④ $(-3)^3\div(-9)=$

⑤ $(-5.6)\div(-2)^2=$

⑥ $(+75)\div(+5)^2=$

⑦ $\left(-\frac{3}{2}\right)\div(-3)^2=$

⑧ $\left(-\frac{1}{2}\right)^3\div\left(+\frac{7}{8}\right)=$

⑨ $(-12)\div\left(-\frac{2}{3}\right)=$

⑩ $\left(+\frac{1}{2}\right)\div(-0.8)=$

⑪ $\left(+\frac{3}{2}\right)^2\div\left(-\frac{1}{8}\right)=$

⑫ $\left(-\frac{4}{5}\right)\div\left(+\frac{8}{15}\right)=$

⑬ $\left(+\frac{5}{9}\right)\div\left(+\frac{10}{3}\right)=$

⑭ $(-0.3)^2\div\left(-\frac{3}{25}\right)=$

⑮ $\left(+\frac{8}{9}\right)\div(-2)^2=$

⑯ $(-2)^2\div\left(-\frac{2}{3}\right)^2=$

⑰ $(-0.8)\div\left(+\frac{2}{5}\right)^2=$

⑱ $\left(+\frac{1}{2}\right)\div(-3)^2=$

⑲ $\left(-\frac{4}{5}\right)^2\div\left(-\frac{8}{15}\right)=$

⑳ $(+0.3)^2\div\left(-\frac{6}{25}\right)=$

㉑ $\left(-\frac{3}{5}\right)\div\left(-\frac{1}{10}\right)=$

계산을 하세요.

① $(+1.6)\div(-2)\times\left(+\frac{15}{16}\right)=$

② $\left(-\frac{5}{14}\right)\times\left(+\frac{7}{10}\right)\div\left(-\frac{1}{2}\right)^3=$

③ $(+5)\div(-0.2)\times(-2)^2=$

④ $(+2)\div\left(-\frac{10}{3}\right)\times(+6)=$

⑤ $(+2)^3\div\left(-\frac{2}{3}\right)\times\left(-\frac{7}{4}\right)=$

⑥ $(-4)\div(-0.3)\times\left(-\frac{3}{2}\right)^3=$

⑦ $\left(-\frac{7}{5}\right)\div(+0.5)\times(-2)^3\div\left(-\frac{2}{5}\right)=$

⑧ $\left(-\frac{3}{2}\right)^2\times(-4)\div(+1.8)\times(-3.5)=$

⑨ $(+5)\div\left(+\frac{2}{3}\right)\div(-0.2)\times(+3)=$

⑩ $\left(-\frac{1}{2}\right)^2\times(+6)\div(+0.6)\div\left(-\frac{5}{4}\right)=$

⑪ $(-5)\div\left(-\frac{1}{2}\right)^2\times(-0.8)\div\left(-\frac{4}{5}\right)=$

⑫ $(+0.9)\div\left(-\frac{3}{5}\right)\times\left(-\frac{4}{9}\right)\times(+12)=$

3주차 동영상 강의 바로가기

3주차

연산의 기본 법칙

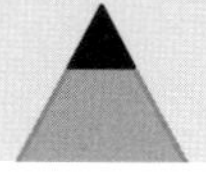

유리수의 계산에 관한 다양한 문제를 해결하기 위해서 알아야 하는 몇 가지 개념을 공부합니다. 연산의 기본 법칙, 절댓값의 개념과 계산 방법, 어떤 수 구하기는 중등 수학에서 꼭 연습해야 할 내용입니다.

연산의 기본 법칙

- 연산의 기본 법칙 1. 교환법칙

교환법칙은 두 수의 계산 순서를 바꾸어도 계산 결과가 같은 것을 말합니다. 구구단을 할 때 7×4보다 4×7이 더 잘 외워져서 바꾸어 해결할 수 있는 것은 곱셈이 교환법칙이 성립하기 때문입니다.

덧셈과 곱셈은 교환법칙이 성립하고, 뺄셈과 나눗셈은 성립하지 않습니다.

$$a+b=b+a \qquad a\times b=b\times a$$

계산을 하고, 두 계산 결과가 똑같은 것에 모두 ◯표 하세요.

$(-3)\times(-8)=$

$(-8)\times(-3)=$

$(-9)\div(-3)=$

$(-3)\div(-9)=$

$(+4)-(-3)=$

$(-3)-(+4)=$

$(-5)\times(+2)=$

$(+2)\times(-5)=$

$(-4)+(+5)=$

$(+5)+(-4)=$

$(-6)-(-8)=$

$(-8)-(-6)=$

- 연산의 기본 법칙 2. 결합법칙

결합법칙은 세 수 이상의 계산에서 먼저 계산하는 두 수를 바꾸어도 계산 결과가 같은 것을 말합니다. 앞의 두 수를 먼저 계산한 경우와 뒤의 두 수를 먼저 계산한 경우, 계산 결과가 같다면 결합법칙이 성립한 것입니다. 덧셈과 곱셈은 결합법칙이 성립하고, 뺄셈과 나눗셈은 성립하지 않습니다.

$$(a+b)+c=a+(b+c) \qquad (a\times b)\times c=a\times (b\times c)$$

계산을 하고, 두 계산 결과가 똑같은 것에 모두 ◯표 하세요.

$(-2)+(-5)+(+9)=$

$(-2)+\{(-5)+(+9)\}=$

$(-16)\div(-4)\div(+2)=$

$(-16)\div\{(-4)\div(+2)\}=$

$(+5)+(-3)+(-7)=$

$(+5)+\{(-3)+(-7)\}=$

$(-5)-(+9)-(-3)=$

$(-5)-\{(+9)-(-3)\}=$

$(+7)-(+5)-(-2)=$

$(+7)-\{(+5)-(-2)\}=$

$(-3)\times(+6)\times(-2)=$

$(-3)\times\{(+6)\times(-2)\}=$

• 연산의 기본 법칙 3. 분배법칙

분배법칙은 덧셈(또는 뺄셈)과 곱셈이 함께 있는 식에서 괄호 안의 덧셈(또는 뺄셈)을 먼저 계산한 후 곱한 값과, 두 수에 각각 곱을 먼저 한 다음 더한 값이 같은 것을 말합니다.

$(a \pm b) \times c = a \times c \pm b \times c$ $a \times (b \pm c) = a \times b \pm a \times c$

나눗셈은 괄호를 어떤 수로 나누는 경우만 성립하고, 반대의 경우는 성립하지 않습니다.

$(a \pm b) \div c = a \div c \pm b \div c$ (O) $a \div (b \pm c) = a \div b \pm a \div c$ (×)

계산을 하고, 두 계산 결과가 똑같은 것에 모두 ◯표 하세요.

$24 \div (2+4) =$

$24 \div 2 + 24 \div 4 =$

$(5-7) \times 2 =$

$5 \times 2 - 7 \times 2 =$

$(8+3) \times 4 =$

$8 \times 4 + 3 \times 4 =$

$(9-12) \div 3 =$

$9 \div 3 - 12 \div 3 =$

$5 \times 3 + 2 \times 3 =$

$(5+2) \times 3 =$

$48 \div (16-4) =$

$48 \div 16 - 48 \div 4 =$

연산의 기본 법칙의 응용

월 일

- 결합법칙은 계산 순서를 바꾸어 계산을 간단하게 만들 때 이용할 수 있습니다.
  덧셈과 뺄셈에서 몇십을 만들면 계산을 단순화할 수 있습니다. 이때 뺄셈은 정수의 덧셈으로 고치면 결합법칙이 성립합니다.

$$63+294+37+6=(63+37)+(294+6)=100+300=400$$

$$177-84-16=177+\{(-84)+(-16)\}=177+(-100)=77$$

84를 빼고 16을 빼는 것이 한꺼번에 100(=84+16)을 빼는 것과 같다고 생각할 수 있습니다.

계산 순서를 바꾸어 간편하게 계산하세요.

① $29+36+211+44=$

② $248-39-21-58=$

③ $155-32-28-175=$

④ $60+245+82-27=$

⑤ $367+12+53+128=$

⑥ $588-281-69-88=$

⑦ $644-287-243-154=$

⑧ $186+33+257+164=$

⑨ $123-9-14+27=$

⑩ $915-456-535-194=$

- 큰 수의 곱셈을 작은 수의 곱셈으로 분해하여 결합법칙으로 계산 순서를 바꾸면 간단하게 계산할 수 있습니다.

  2와 5의 곱이 10임을 이용하면 곱셈을 간단하게 계산할 수 있습니다.

  $64\times125=8\times(8\times125)=8\times1000=8000$

  $75\times16=75\times4\times4=300\times4=1200$

계산 순서를 바꾸어 간편하게 계산하세요.

① $8\times25=$

② $36\times15=$

③ $16\times125=$

④ $64\times25=$

⑤ $8\times25\times45=$

⑥ $32\times9\times25=$

⑦ $128\times25\times2=$

⑧ $36\times25\times18=$

⑨ $175\times12\times4=$

⑩ $125\times15\times16=$

- 분배법칙으로 계산 순서를 바꾸면 간단하게 계산할 수 있습니다.
두 곱셈식에서 같은 수가 있을 때 분배법칙을 쓰면 계산을 간단하게 할 수 있는 경우가 있습니다.

$37\times48+52\times37=(48+52)\times37=100\times37=3700$

곱셈의 원리로 생각하면 37이 48개 있고, 37이 52개 있으므로 37이 100개 있는 것과 같습니다.

계산 순서를 바꾸어 간편하게 계산하세요.

① $552\div12-516\div12=$

② $14\times24+14\times16=$

③ $37\times22-37\times17=$

④ $75\times13-55\times13=$

⑤ $144\div8-112\div8=$

⑥ $272\div16-336\div16=$

⑦ $256\div4+144\div4=$

⑧ $325\times5-5\times375=$

⑨ $3\times196-3\times251=$

⑩ $378\div18+162\div18=$

절댓값의 계산

- 수직선에서 0을 나타내는 점과 어떤 수를 나타내는 점 사이의 거리를 그 수의 절댓값이라고 하고 기호 | |로 나타냅니다.

+2의 절댓값: $|+2|=2$

−2의 절댓값: $|-2|=2$

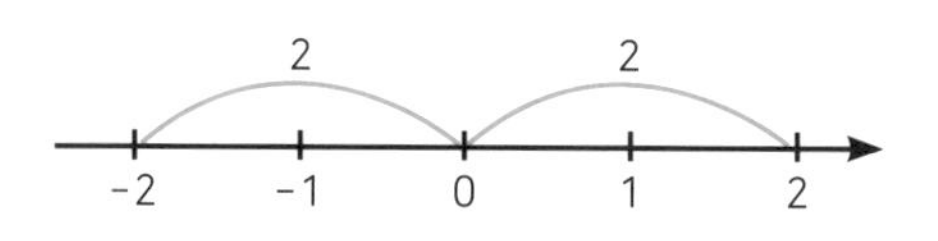

유리수는 방향을 나타내는 부호와 크기를 나타내는 절댓값으로 나누어지는데 기호 | |를 사용하면 부호를 빼고 크기만 남기게 됩니다. 따라서 절댓값은 항상 0보다 크거나 같습니다. (0의 절댓값만 0과 같습니다.)

다음 수의 절댓값을 구하세요.

① $-9=$　　② $+7=$　　③ $-2=$

④ $-4=$　　⑤ $-24=$　　⑥ $+16=$

다음 값을 구하세요.

① $|-3|=$　　② $|+11|=$　　③ $|-5|=$

④ $|-45|=$　　⑤ $|0|=$　　⑥ $|+22|=$

다음을 만족하는 수를 모두 구하세요.

① 절댓값이 6인 수

② 절댓값이 4인 수

③ 절댓값이 5인 수

④ 절댓값이 12인 수

⑤ 절댓값이 7인 수

⑥ 절댓값이 23인 수

a로 가능한 수를 모두 구하세요.

① $|a|=8$

② $|a|=21$

③ $|a|=14$

④ $|a|=35$

⑤ $|a|=9$

⑥ $|a|=20$

문제를 읽고 알맞은 답을 써 보세요.

① $|a|=6$일 때 $3+a$의 값을 모두 구하세요.

답 : ______________

② $|a|=8$일 때 $-2+a$의 값을 모두 구하세요.

답 : ______________

③ $|a|=2$일 때 $9+a$의 값을 모두 구하세요.

답 : ______________

④ 두 수 a, b에 대하여 $|a|=10$, $|b|=4$일 때 $a+b$의 값을 모두 구하세요.

답 : ______________

⑤ 두 수 a, b에 대하여 $|a|=16$, $|b|=7$일 때 $a+b$의 값을 모두 구하세요.

답 : ______________

⑥ 두 수 a, b에 대하여 $|a|=24$, $|b|=12$일 때 $a+b$의 값을 모두 구하세요.

답 : ______________

덧셈식, 뺄셈식의 어떤 수 구하기

- 덧셈식, 뺄셈식에서 어떤 수를 구할 때는 덧셈과 뺄셈의 관계를 이용합니다.

□+△=○ → ○-△=□, ○-□=△

□-△=○ → ○+△=□, □-○=△

□ 안에 알맞은 수를 구하세요.

① $\square-(+2)=-5$

② $\square-(+7)=+2$

③ $\left(-\frac{1}{2}\right)+\square=+\frac{2}{3}$

④ $\left(+\frac{3}{4}\right)-\square=+\frac{7}{8}$

⑤ $\square-(-4.9)=+10.6$

⑥ $\left(-\frac{7}{2}\right)-\square=-8.3$

⑦ $\square+(+2)=-3.3$

⑧ $\left(+\frac{3}{4}\right)-\square=-\frac{5}{8}$

⑨ $(-8)+\square=+12$

⑩ $\square+(-7.5)=-4.2$

⑪ $\left(+\frac{11}{12}\right)+\square=-\frac{5}{6}$

⑫ $\square-21=-6$

□ 안에 알맞은 수를 구하세요.

① $\square-(-4)=+7$

② $(-9)-\square=-5$

③ $\left(+\frac{5}{12}\right)+\square=-\frac{1}{3}$

④ $\square+\left(+\frac{1}{3}\right)=-\frac{2}{5}$

⑤ $\square-(+11.8)=-3.7$

⑥ $(-5.8)-\square=+9.4$

⑦ $(-1.2)+\square=-\frac{3}{4}$

⑧ $(+28)+\square=-8$

⑨ $\left(-\frac{3}{4}\right)+\square=+\frac{7}{12}$

⑩ $\square+(+15.4)=-6.2$

⑪ $(+12)+\square=-\frac{7}{10}$

⑫ $\square-\left(+\frac{3}{4}\right)=+\frac{1}{4}$

⑬ $\square-\left(-\frac{1}{6}\right)=+\frac{13}{6}$

⑭ $\left(-\frac{3}{5}\right)-\square=-9.5$

문제를 읽고 알맞은 식과 답을 써 보세요.

① -1보다 2.5 만큼 큰 수를 a라고 할 때, a보다 -5.2 만큼 작은 수는 무엇입니까?

답 : ____________

② -3.4보다 7 만큼 큰 수를 b라고 할 때, b보다 8.6 만큼 큰 수는 무엇입니까?

답 : ____________

③ 6보다 $\frac{1}{2}$만큼 작은 수를 x라고 할 때, x보다 $\frac{3}{4}$만큼 작은 수는 무엇입니까?

답 : ____________

④ -9보다 -4 만큼 작은 수를 y라고 할 때, y보다 -12 만큼 큰 수는 무엇입니까?

답 : ____________

곱셈식, 나눗셈식의 어떤 수 구하기

- 곱셈식, 나눗셈식에서 어떤 수를 구할 때는 곱셈과 나눗셈의 관계를 이용합니다.

□×△=○ → ○÷△=□, ○÷□=△

□÷△=○ → ○×△=□, □÷○=△

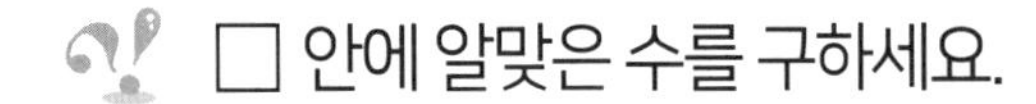

□ 안에 알맞은 수를 구하세요.

① $\square \times (-3) = +33$

② $\square \div (-9) = +2$

③ $\left(-\frac{2}{3}\right) \div \square = -\frac{1}{2}$

④ $\square \div \left(+\frac{3}{4}\right) = -\frac{2}{5}$

⑤ $(-0.6) \times \square = +0.12$

⑥ $(-2.4) \times \square = +8.4$

⑦ $\square \div \left(-\frac{1}{7}\right) = -63$

⑧ $\square \times (+0.4) = -1.5$

⑨ $(-6) \times \square = +\frac{1}{3}$

⑩ $(+0.7) \div \square = -\frac{3}{4}$

⑪ $\square \div \left(+\frac{2}{3}\right) = +6$

⑫ $(-12) \times \square = -2.4$

□ 안에 알맞은 수를 구하세요.

① $(-12)\div\square=+3$

② $\square\div(-8)=-12$

③ $\left(+\frac{3}{2}\right)\div\square=\frac{5}{6}$

④ $\square\div\left(-\frac{3}{7}\right)=-\frac{5}{2}$

⑤ $\square\times(-2.4)=+3.6$

⑥ $\square\times(+5)=+7.5$

⑦ $\left(+\frac{1}{9}\right)\times\square=+3$

⑧ $\left(-\frac{2}{11}\right)\times\square=+\frac{10}{11}$

⑨ $\square\div\left(+\frac{3}{8}\right)=+\frac{4}{3}$

⑩ $(+6)\div\square=-\frac{4}{3}$

⑪ $\square\times(+1.2)=+15$

⑫ $\left(-\frac{3}{5}\right)\times\square=+1.5$

문제를 읽고 알맞은 답을 써 보세요.

① 어떤 유리수에 $-\frac{1}{3}$을 곱해야 할 것을 나누었더니 계산 결과가 6이 되었습니다. 바르게 계산한 답은 얼마일까요?

답 : ___________

② 어떤 유리수에 −2.5를 나누어야 할 것을 곱하였더니 계산 결과가 −12.5가 되었습니다. 바르게 계산한 답은 얼마일까요?

답 : ___________

③ 어떤 유리수에 8을 나누어야 할 것을 곱하였더니 계산 결과가 −19.2가 되었습니다. 바르게 계산한 답은 얼마일까요?

답 : ___________

④ 어떤 유리수에 −0.4를 곱해야 할 것을 나누었더니 계산 결과가 $\frac{9}{4}$가 되었습니다. 바르게 계산한 답은 얼마일까요?

답 : ___________

4주차

도전! 계산왕

덧셈, 뺄셈과 곱셈, 나눗셈의 계산을 각각 집중 연습합니다.

1 일차-1

유리수의 사칙 연산

월 일 | 점수 : / 18

계산을 하세요.

① $(+3)+(+2)=$

② $\left(-\frac{1}{3}\right)-\left(-\frac{2}{7}\right)=$

③ $(-2)^2+(+7)=$

④ $\left(-\frac{1}{5}\right)+(-0.6)=$

⑤ $(+2)^2-(+5)=$

⑥ $(-5.4)-(+1.6)=$

⑦ $(+6)\times(+3)=$

⑧ $(-6)\div\left(+\frac{3}{2}\right)=$

⑨ $(-16)\div(-2)^3=$

⑩ $\left(-\frac{7}{9}\right)\times\left(+\frac{3}{14}\right)=$

⑪ $(-4.8)\div(+6)=$

⑫ $\left(+\frac{2}{7}\right)\times\left(-\frac{1}{2}\right)^2=$

⑬ $(+3.5)-(-5)+\left(-\frac{1}{2}\right)=$

⑭ $(+3)\times\left(-\frac{5}{21}\right)\div\left(-\frac{5}{14}\right)=$

⑮ $\left(+\frac{7}{3}\right)+\left(+\frac{14}{3}\right)-(-11)=$

⑯ $\left(-\frac{3}{4}\right)\times(-2)^3\div\left(-\frac{9}{2}\right)=$

⑰ $(-2.7)+(-3)^2-\left(+\frac{3}{2}\right)-(-0.2)=$

⑱ $(-3.5)\times(-20)\times\left(+\frac{5}{21}\right)\div(-5)^2=$

유리수의 사칙 연산

월 일 | 점수 : / 18

계산을 하세요.

① $(+4)+(+7)=$

② $(+0.5)-\left(+\frac{2}{3}\right)=$

③ $(-3)+(-3)^2=$

④ $\left(-\frac{1}{2}\right)^2-\left(+\frac{3}{4}\right)=$

⑤ $\left(+\frac{5}{7}\right)-\left(+\frac{4}{3}\right)=$

⑥ $(-0.6)+(-1.8)=$

⑦ $(+4)\times(-8)=$

⑧ $(-30)\div(+5)=$

⑨ $(-10)\div\left(-\frac{15}{2}\right)=$

⑩ $\left(-\frac{2}{7}\right)\times\left(+\frac{3}{4}\right)=$

⑪ $(-6.3)\div(-3)^2=$

⑫ $\left(+\frac{2}{3}\right)^2\times\left(-\frac{3}{16}\right)=$

⑬ $\left(-\frac{2}{3}\right)+(+7)+\left(-\frac{4}{3}\right)=$

⑭ $(+8)\times\left(-\frac{3}{4}\right)\div(+0.5)=$

⑮ $\left(+\frac{2}{7}\right)+(+0.6)-\left(-\frac{5}{7}\right)=$

⑯ $\left(+\frac{3}{8}\right)\times\left(-\frac{5}{6}\right)\div\left(-\frac{1}{2}\right)^2=$

⑰ $(-2.5)+\left(+\frac{6}{5}\right)-(-0.4)-(-2)^2=$

⑱ $\left(-\frac{3}{11}\right)\times\left(-\frac{2}{3}\right)^2\times(+22)\div\left(-\frac{4}{3}\right)=$

유리수의 사칙 연산

월 일 | 점수 : / 18

계산을 하세요.

① $(+6)+(-2)=$

② $(+2.8)-\left(+\frac{7}{2}\right)=$

③ $\left(+\frac{3}{5}\right)+\left(+\frac{1}{2}\right)^2=$

④ $(-1)-\left(-\frac{2}{7}\right)=$

⑤ $\left(-\frac{5}{2}\right)-(+1.1)=$

⑥ $(+3.4)+(-2.1)=$

⑦ $(+6)\times(-2)^2=$

⑧ $(+12)\div(-3)=$

⑨ $(-0.7)\div\left(+\frac{14}{15}\right)=$

⑩ $\left(-\frac{2}{3}\right)\times\left(-\frac{5}{8}\right)=$

⑪ $(-4.2)\div(-6)=$

⑫ $(-16)\times\left(-\frac{1}{2}\right)^2=$

⑬ $(-3)^2-(+5.4)+\left(-\frac{3}{5}\right)=$

⑭ $\left(+\frac{2}{3}\right)\times(-6)\div(-0.5)^2=$

⑮ $\left(+\frac{7}{6}\right)-\left(+\frac{2}{3}\right)+(-2)^3=$

⑯ $(-7)\div\left(-\frac{1}{2}\right)\times(-1)^3=$

⑰ $\left(-\frac{2}{3}\right)+(-0.5)+\left(+\frac{5}{6}\right)-(-2)=$

⑱ $(-0.5)\times\left(-\frac{2}{5}\right)\times\left(-\frac{3}{2}\right)^2\div(+3)=$

유리수의 사칙 연산

월 일 | 점수 : / 18

계산을 하세요.

① $(+3)+(-2)^3=$

② $\left(+\frac{5}{6}\right)-\left(-\frac{7}{6}\right)=$

③ $\left(-\frac{2}{5}\right)+\left(+\frac{3}{20}\right)=$

④ $(+2)^3-\left(-\frac{1}{2}\right)=$

⑤ $(-1.1)+\left(-\frac{2}{5}\right)=$

⑥ $(-3.2)+(-4.5)=$

⑦ $(-7)\times(-11)=$

⑧ $(+40)\div(+2)^3=$

⑨ $(-0.8)\div\left(-\frac{3}{2}\right)=$

⑩ $(-0.6)\times(-5)=$

⑪ $\left(-\frac{2}{3}\right)^2\div(-2)=$

⑫ $(-2)^3\times 0=$

⑬ $\left(+\frac{3}{4}\right)+\left(-\frac{1}{3}\right)+(-1)^3=$

⑭ $(-5)\times\left(+\frac{3}{4}\right)\div\left(-\frac{1}{2}\right)^3=$

⑮ $\left(+\frac{2}{3}\right)-(-0.2)+\left(-\frac{1}{2}\right)=$

⑯ $(-2)\times(-2.5)\div(-0.5)^2=$

⑰ $(-10)+(+7.4)+\left(-\frac{6}{5}\right)-(+4.2)=$

⑱ $(-0.5)\times\left(-\frac{2}{3}\right)\times(-0.75)\div(+2)^2=$

유리수의 사칙 연산

월 일 | 점수 : / 18

계산을 하세요.

① $(+5)+(+11)=$

② $(+2)^2-\left(-\frac{2}{3}\right)=$

③ $(-3.5)+\left(+\frac{1}{4}\right)=$

④ $\left(+\frac{5}{6}\right)-\left(+\frac{3}{4}\right)=$

⑤ $(-3.5)-\left(-\frac{3}{2}\right)=$

⑥ $(-1.2)+(-2.8)=$

⑦ $(-3)^2\times(+2)=$

⑧ $(-35)\div(+7)=$

⑨ $(-0.4)\div(+0.6)=$

⑩ $\left(-\frac{4}{3}\right)\times(-12)=$

⑪ $\left(+\frac{8}{9}\right)\div\left(-\frac{2}{3}\right)^2=$

⑫ $(-3.5)\times\left(-\frac{2}{5}\right)=$

⑬ $\left(-\frac{4}{3}\right)+(+2.5)-\left(-\frac{1}{3}\right)=$

⑭ $(-2)^2\times(-7)\div\left(-\frac{1}{3}\right)=$

⑮ $(+1.5)-\left(+\frac{11}{6}\right)+\left(+\frac{4}{3}\right)=$

⑯ $(-4)\times\left(-\frac{1}{4}\right)^2\div(-0.2)=$

⑰ $(+0.5)+\left(-\frac{1}{3}\right)+\left(+\frac{1}{2}\right)^2-\left(-\frac{5}{6}\right)=$

⑱ $\left(-\frac{4}{3}\right)\times(-3)^2\times\left(+\frac{1}{3}\right)\div\left(+\frac{1}{12}\right)=$

유리수의 사칙 연산

월 일 | 점수 : / 18

계산을 하세요.

① $(-7)+(-6)=$

② $\left(+\frac{6}{7}\right)-(+2)=$

③ $(+3)-\left(-\frac{2}{3}\right)=$

④ $\left(-\frac{1}{2}\right)^2-(-2.5)=$

⑤ $\left(-\frac{2}{5}\right)+(-0.2)=$

⑥ $(+6.3)+(+4.5)=$

⑦ $(+3)\times(-4)=$

⑧ $(-3)^2\div(-6)=$

⑨ $\left(+\frac{14}{5}\right)\div\left(-\frac{7}{4}\right)=$

⑩ $\left(-\frac{3}{4}\right)\times\left(-\frac{2}{3}\right)^2=$

⑪ $(-12)\div\left(-\frac{3}{4}\right)=$

⑫ $(-1.3)\times(-3)=$

⑬ $\left(-\frac{5}{7}\right)+\left(-\frac{6}{7}\right)-\left(+\frac{3}{14}\right)=$

⑭ $\left(-\frac{5}{4}\right)\times(-0.4)\div\left(-\frac{4}{15}\right)=$

⑮ $\left(-\frac{2}{7}\right)-\left(-\frac{3}{7}\right)+\left(-\frac{4}{7}\right)=$

⑯ $(+0.8)\div\left(-\frac{1}{2}\right)^2\times\left(-\frac{3}{4}\right)=$

⑰ $\left(-\frac{7}{5}\right)+(+11.3)+(-1.6)+(-2)^3=$

⑱ $(-3)^2\times(-6)\times\left(-\frac{2}{9}\right)\div\left(+\frac{2}{3}\right)=$

유리수의 사칙 연산

월 일 | 점수 : / 18

계산을 하세요.

① $(-1)+(-3)=$

② $\left(+\frac{1}{2}\right)-\left(+\frac{1}{2}\right)^2=$

③ $\left(-\frac{4}{9}\right)-\left(-\frac{7}{9}\right)=$

④ $(+3)-\left(+\frac{1}{2}\right)=$

⑤ $(-0.2)+\left(-\frac{3}{5}\right)=$

⑥ $(-5.3)+(+3.7)=$

⑦ $(+2)\times(+5)=$

⑧ $\left(-\frac{2}{9}\right)\div\left(+\frac{2}{3}\right)^2=$

⑨ $(+0.4)\div\left(-\frac{3}{20}\right)=$

⑩ $\left(-\frac{3}{8}\right)\times\left(-\frac{7}{6}\right)=$

⑪ $(-3)^2\div\left(-\frac{9}{5}\right)=$

⑫ $(-2.5)\times(-4)=$

⑬ $(+6.2)+(-7)+\left(-\frac{6}{5}\right)=$

⑭ $(-2)^2\times(-0.8)\div\left(-\frac{2}{15}\right)=$

⑮ $\left(+\frac{2}{3}\right)+\left(-\frac{1}{2}\right)+\left(+\frac{1}{3}\right)=$

⑯ $\left(+\frac{1}{2}\right)^2\div\left(-\frac{2}{3}\right)\times\left(+\frac{4}{7}\right)=$

⑰ $\left(+\frac{4}{3}\right)+(-0.5)+\left(+\frac{3}{2}\right)+\left(-\frac{5}{3}\right)=$

⑱ $(-1.4)\times\left(-\frac{3}{4}\right)^2\times\left(+\frac{5}{7}\right)\div\left(+\frac{3}{4}\right)=$

4 일차 -2

유리수의 사칙 연산

월 일 | 점수 : / 18

계산을 하세요.

① $(-2)+(+6)=$

② $\left(-\frac{1}{2}\right)^2-\left(+\frac{2}{3}\right)=$

③ $(-2.8)+\left(+\frac{11}{2}\right)=$

④ $(-2)^3-\left(-\frac{2}{5}\right)=$

⑤ $(-2.2)+\left(+\frac{3}{2}\right)=$

⑥ $(+6.3)-(+4.5)=$

⑦ $(-3)\times(-7)=$

⑧ $(+1.4)\div\left(+\frac{1}{5}\right)=$

⑨ $\left(+\frac{3}{2}\right)\div\left(-\frac{5}{6}\right)=$

⑩ $\left(+\frac{1}{2}\right)^2\times(-1.5)=$

⑪ $\left(-\frac{1}{2}\right)^2\div(+5)=$

⑫ $(-2)^3\times\left(-\frac{3}{4}\right)=$

⑬ $(-1)^3+\left(-\frac{1}{2}\right)+(+3)=$

⑭ $\left(-\frac{5}{6}\right)\times\left(-\frac{3}{2}\right)^2\div\left(-\frac{3}{4}\right)=$

⑮ $\left(+\frac{3}{2}\right)+\left(-\frac{1}{2}\right)+(+4)=$

⑯ $(-3)^2\times(-5)\div(+1.5)=$

⑰ $(-1.6)+(-2)^2+(-3)+\left(+\frac{4}{5}\right)=$

⑱ $\left(-\frac{9}{10}\right)\times\left(-\frac{2}{3}\right)\times(-2)^2\div\left(-\frac{12}{5}\right)=$

유리수의 사칙 연산

월 일 | 점수 : / 18

계산을 하세요.

① $(+3)+(-10)=$

② $\left(-\frac{2}{5}\right)+\left(+\frac{1}{3}\right)=$

③ $\left(-\frac{1}{3}\right)^2+\left(-\frac{4}{9}\right)=$

④ $\left(-\frac{5}{4}\right)-(+0.5)=$

⑤ $(+4.2)+(-2)=$

⑥ $(-2.4)-(-6.8)=$

⑦ $(-2)^2\times(-3)=$

⑧ $\left(+\frac{3}{4}\right)\div\left(+\frac{9}{8}\right)=$

⑨ $(-3)^2\div\left(-\frac{1}{6}\right)=$

⑩ $\left(+\frac{13}{7}\right)\times 0=$

⑪ $(-4)^2\div(+0.5)=$

⑫ $(-1.5)\times\left(+\frac{5}{12}\right)=$

⑬ $(-2.6)+(-11.5)+(+4)=$

⑭ $\left(-\frac{1}{2}\right)^2\times(-10)\div(-4)=$

⑮ $\left(-\frac{2}{3}\right)-(-1.5)+\left(-\frac{1}{3}\right)=$

⑯ $\left(-\frac{2}{3}\right)\div\left(-\frac{2}{3}\right)^2\times\left(+\frac{3}{4}\right)=$

⑰ $(-1)^2+\left(-\frac{1}{4}\right)-\left(-\frac{5}{6}\right)+(-0.5)=$

⑱ $\left(-\frac{7}{2}\right)\times(-1.5)\times(+6)\div\left(-\frac{3}{2}\right)^2=$

유리수의 사칙 연산

월 일 | 점수 : / 18

계산을 하세요.

① $(+2)^2+(-7)=$

② $(+2)+\left(-\frac{3}{5}\right)=$

③ $\left(+\frac{3}{7}\right)+\left(-\frac{8}{21}\right)=$

④ $\left(-\frac{9}{10}\right)-(+0.1)=$

⑤ $(-1)^3+(+2.5)=$

⑥ $(+6.7)-(+3.2)=$

⑦ $(-2)^3\times(-6)=$

⑧ $(-0.7)\div(-10.5)=$

⑨ $(+1.6)\div(-0.4)=$

⑩ $\left(+\frac{3}{2}\right)\times\left(-\frac{8}{3}\right)=$

⑪ $(-2)^2\div\left(+\frac{4}{3}\right)=$

⑫ $(-7.5)\times\left(+\frac{6}{5}\right)=$

⑬ $(-0.5)-\left(-\frac{3}{4}\right)+(+2)=$

⑭ $\left(+\frac{3}{7}\right)\div\left(-\frac{5}{14}\right)\times(-0.3)=$

⑮ $\left(-\frac{2}{3}\right)-(-1.5)+\left(-\frac{1}{3}\right)=$

⑯ $(-5)^2\div\left(+\frac{5}{6}\right)\times(-1.5)=$

⑰ $(-14)+(-3)^2-\left(-\frac{1}{2}\right)+\left(-\frac{3}{2}\right)=$

⑱ $\left(-\frac{5}{3}\right)\times(-2)^3\times\left(+\frac{6}{5}\right)\div(-4)=$

Memo

5주차 동영상 강의 바로가기

5주차

사칙 연산의 혼합 계산

괄호가 없는 혼합 계산을 먼저 공부하고, 중괄호, 대괄호가 있거나 식이 긴 혼합 계산을 공부합니다. 혼합 계산은 계산 순서를 정확하게 이해하는 것이 중요한데 유리수의 혼합 계산은 복잡한 식 때문에 부호 실수를 많이 하기도 합니다. 유의하면서 연습하여 유리수의 계산을 완성하도록 합니다.

간단한 사칙 연산의 혼합 계산

- 부호를 나타내기 위한 괄호 외에는 괄호가 없거나 하나만 있는 간단한 혼합 계산은 다음과 같은 순서로 계산합니다.

  1. 거듭제곱이 있으면 거듭제곱을 먼저 계산합니다.
  2. 괄호가 있으면 괄호 안을 계산합니다.
  3. 곱셈, 나눗셈을 계산합니다.
  4. 덧셈, 뺄셈을 계산합니다.

$$7-(-6)^{2}\div 4=7-36\div 4=7-9=-2$$

계산을 하세요.

① $5+3\times\left(-\frac{2}{3}\right)=$

② $-\frac{4}{3}\times(-3)^2+\frac{1}{2}=$

③ $(+2)^3-24\div(-3)=$

④ $(-12)\div(-\frac{1}{3})-4^2=$

⑤ $12\div(-4)-(-3)^2=$

⑥ $\frac{3}{2}-\frac{3}{5}\times(-20)=$

⑦ $3\div(-\frac{3}{2})+0.5=$

⑧ $\frac{2}{3}+\left(-\frac{1}{3}\right)^2\times\frac{6}{5}=$

계산을 하세요.

① $\frac{1}{9}\times(-3)^2-9\div\frac{1}{3}=$

② $2-\left(-1+\frac{1}{3}\right)\times9=$

③ $\left(\frac{5}{3}-\frac{1}{6}\right)^2\times\frac{2}{3}-3=$

④ $\frac{1}{7}\div\left(\frac{2}{7}-\frac{1}{14}\right)=$

⑤ $(-2)^2\div\frac{1}{10}+(-5)^2\div(-\frac{1}{2})=$

⑥ $\left\{3-\left(\frac{1}{2}\right)^2\times4\right\}\times2=$

⑦ $-1-\left\{-1+\left(\frac{1}{2}-\frac{1}{3}\right)\times5\right\}=$

계산을 하세요.

① $\left\{3 \div 6-(-2)^2 \times \frac{5}{2}\right\} \times 2=$

② $\left(-\frac{1}{9}\right) \times 9-4=$

③ $\frac{3}{2} \times \left(-\frac{2}{3}\right)^2 \div \left(-\frac{1}{6}\right)-1=$

④ $10-\{(-25) \div (-5)+1\}=$

⑤ $-12-\frac{2}{3} \times \{2-(-1)\}=$

⑥ $\frac{3}{4} \times \left\{(-2)-\frac{2}{5}\right\} \div \left(-\frac{6}{5}\right)=$

⑦ $-\frac{1}{2}-\frac{3}{4} \div \left\{\left(-\frac{1}{6}\right) \times \frac{6}{5}\right\}=$

간단한 사칙 연산의 혼합 계산 연습

계산을 하세요.

① $1-\{-3\times(-2)^2+1\}=$

② $(-15)\times\frac{1}{3}+4=$

③ $3\times\left(-\frac{1}{3}\right)^2\div\frac{1}{6}+1=$

④ $(-3)+(-2)^2\times\left(1+\frac{1}{4}\right)=$

⑤ $2\div\left(-\frac{2}{3}\right)\times(-2)^2-3=$

⑥ $\left\{\left(-\frac{1}{2}\right)^2-2\right\}-\frac{3}{4}=$

⑦ $(-10)\times\left(-\frac{3}{2}\right)-5=$

계산을 하세요.

① $-\frac{1}{2}\times(-2)^3+1.2\div 3=$

② $-0.8\div\frac{7}{12}\times\frac{7}{4}+1.5=$

③ $\left(-\frac{1}{2}\right)^2\div 4+(-3)\times\frac{1}{16}=$

④ $\frac{2}{5}\times(-5)^2-2\times 3=$

⑤ $-3-\left(\frac{1}{2}\right)^2\times 8+2=$

⑥ $0.4\times\left(-\frac{1}{2}\right)^2\div(-0.2)-2=$

⑦ $-42\times\left(\frac{1}{7}-\frac{1}{6}\right)+(-3)^2=$

문제를 읽고 알맞은 답을 써 보세요.

① 서로 다른 두 유리수 a, b에 대하여 $a \circledcirc b = 4 \div (a-b)$ 라고 할 때, $(-\frac{1}{3}) \circledcirc (-\frac{1}{4})$을 계산하세요.

답 : ____________

② 서로 다른 두 유리수 a, b에 대하여 $a \circledcirc b = a \div b + 1$ 라고 할 때, $\frac{2}{3} \circledcirc (-5)$를 계산하세요.

답 : ____________

③ 서로 다른 두 유리수 a, b에 대하여 $a \circledcirc b = 3 \div (b-a)$ 라고 할 때, $(-\frac{3}{5}) \circledcirc (-\frac{3}{2})$을 계산하세요.

답 : ____________

④ 서로 다른 두 유리수 a, b에 대하여 $a \circledcirc b = (a+b) \times 2$ 라고 할 때, $(-\frac{1}{3}) \circledcirc (-\frac{1}{4})$을 계산하세요.

답 : ____________

복잡한 사칙 연산의 혼합 계산

• 괄호가 있는 혼합 계산은 다음과 같은 순서로 계산합니다.

1. 거듭제곱이 있으면 거듭제곱을 먼저 계산합니다.
2. 소괄호( ) → 중괄호{ } → 대괄호[ ]의 순서로 계산합니다.
3. 곱셈, 나눗셈을 계산합니다.
4. 덧셈, 뺄셈을 계산합니다.

$$\left(-\frac{2}{5}\right)-\left(\frac{1}{2}\right)^{2}\div\left\{\left(1-\frac{2}{3}\right)\times\frac{1}{4}\right\}$$

거듭제곱과 소괄호의 뺄셈을 계산합니다.

$$=\left(-\frac{2}{5}\right)-\frac{1}{4}\div\left\{\frac{1}{3}\times\frac{1}{4}\right\}$$

중괄호 안을 계산합니다.

$$=\left(-\frac{2}{5}\right)-\frac{1}{4}\div\frac{1}{12}$$

나눗셈 → 뺄셈 순으로 계산합니다.

$$=\left(-\frac{2}{5}\right)-3=-\frac{17}{5}$$

계산을 하세요.

① $4+\{(-2)^2+10\div 2\}=$

② $32-\left\{\left(-\frac{5}{2}\right)^2\times 4+5\right\}=$

계산을 하세요.

① $20-2\times\left\{(-3)^2-6\times\frac{1}{2}\right\}=$

② $2-\frac{1}{2}\times\left\{\frac{1}{5}\times10+\frac{1}{4}\div\left(\frac{1}{2}\right)^2\right\}=$

③ $10-\{-10+(-3)^2\times2\}=$

④ $10\div\left\{5\times\left(2-\frac{1}{5}\right)+1\right\}=$

계산을 하세요.

① $\{5\div(-5)+6\}-\frac{1}{2}+(-2)^2=$

② $(-2)^3\div\frac{2}{3}+\left(\frac{7}{2}-\frac{3}{2}\right)=$

③ $(-3)^2-\left\{1+15\div(-3)\right\}=$

④ $24\div\left\{(-3)^2\times\left(\frac{1}{3}-\frac{1}{9}\right)+10\right\}=$

복잡한 사칙 연산의 혼합 계산 연습

- 길고 복잡한 식을 계산할 때는 수끼리의 곱셈, 나눗셈을 먼저 계산하는 것이 빠르고 정확하게 계산하는 방법입니다.

$$5\times(-1)^3-\frac{3}{4}\times\left\{6\times\left(-\frac{1}{2}\right)+1\right\}$$
$$=-5-\frac{3}{4}\times\{-3+1\}$$
$$=-5-\frac{3}{4}\times\{-2\}$$
$$=-5+\frac{3}{2}=-\frac{7}{2}$$

계산을 하세요.

① $3\times\left\{\frac{1}{3}\times5+\frac{1}{4}\div\left(\frac{1}{2}\right)^3\right\}=$

② $\frac{1}{2}\times12-(8-3\times2)=$

계산을 하세요.

① $8-\left\{\frac{1}{4}\times(5+11)+3\right\}=$

② $\{15\div(2+1)\}\times\left(\frac{1}{5}+\frac{1}{2}\right)=$

③ $11\times\left\{\frac{2}{11}\div\left(1-\frac{1}{2}\right)+\frac{3}{11}\right\}=$

④ $\frac{3}{2}\div\left\{-\frac{5}{6}-\left(\frac{1}{3}-\frac{1}{2}\right)\right\}=$

계산을 하세요.

① $1-\left[\frac{9}{2}-7\div\left\{4\times\left(-\frac{1}{4}\right)+2\right\}\right]=$

② $5+\left[9\times\left\{\frac{1}{3}-\left(-\frac{1}{3}\right)^2\right\}-1\right]=$

③ $\left(\frac{3}{4}-\frac{1}{3}\right)\div\frac{1}{12}+\left(-\frac{4}{3}\right)\times 15=$

④ $\left\{\left(\frac{1}{3}-\frac{2}{3}\times\frac{6}{5}\right)\div\frac{4}{15}+1\right\}+(-1)^2=$

혼합 계산식의 어떤 수 구하기

- 혼합 계산식의 □에 알맞은 수를 구할 때는 주변의 수를 모두 계산한 후, 덧셈과 뺄셈, 곱셈과 나눗셈의 관계를 이용합니다.

$$\left\{\left(-\frac{1}{2}\right)\div\frac{1}{4}-(-3)^2\times\left(\frac{2}{3}\right)^2\right\}\times\square-4^2\times\left(-\frac{1}{2}\right)^3=-4$$

수끼리 곱셈, 나눗셈을 모두 계산합니다.

$$\{-2-4\}\times\square+2=-4$$

덧셈, 뺄셈을 계산합니다.

$$\{-6\}\times\square+2=-4$$

덧셈, 뺄셈의 관계를 이용합니다.

$$\{-6\}\times\square=-6$$

곱셈, 나눗셈의 관계를 이용합니다.

$$\square=1$$

□에 알맞은 수를 구하세요.

① $\square\times2-2\times5=2$

② $\square-\left\{\frac{16}{5}-\left(\frac{1}{5}+2\right)\right\}=1$

□에 알맞은 수를 구하세요.

① $12\times\left(\frac{1}{2}+\frac{1}{6}\right)-\square\times\left(-\frac{1}{2}\right)=7$

② $\square\div\left\{\left(-2+\frac{1}{2}\right)\times4+1\right\}=-3$

③ $5-\left[\square+\left\{3-2\div\left(\frac{1}{2}\right)^2\right\}\right]=6$

④ $1-\left\{\left(-\frac{1}{2}\right)^2+\square\div(-4)\right\}=-1$

□에 알맞은 수를 구하세요.

① $\left(-\frac{1}{2}\right)^2 \times \square + \frac{1}{4} = \frac{9}{4}$

② $3 - \left\{\frac{1}{2} + \square \div (-4)\right\} \times 2 = 1$

③ $3 + \left\{3 + (-4)^2 \div \frac{16}{3}\right\} \times \square = 15$

④ $1 - \left[\frac{1}{3} - \square \times \left\{\frac{1}{2} - \left(-\frac{1}{2}\right)^2\right\}\right] \times (-3)^2 = 25$

6주차

도전! 계산왕

유리수의 혼합 계산을 집중 연습합니다.

유리수의 혼합 계산

월 일 | 점수 : / 8

계산을 하세요.

① $10\div(-9+7)+8=$

② $8\times3^2-(-3)^2=$

③ $(-8)\times2-36\div3^2=$

④ $\left(-\frac{9}{8}\right)+\frac{1}{3}\div\frac{8}{3}=$

⑤ $[(-2)\div\{10-(-2)^2\}]\times(-6)=$

⑥ $[16\div\{1-(-3)^2\}]\times5=$

⑦ $\left\{\frac{1}{6}\times(-3)+(-3)^2\div\frac{5}{3}\right\}\times2=$

⑧ $45\times\left(\frac{1}{5}-\frac{2}{9}\right)+2+\left(-\frac{1}{3}\right)^2\times(-6)^2=$

유리수의 혼합 계산

월 일 | 점수 : / 8

계산을 하세요.

① $3\times(5-2^2\times3)+(-4)=$

② $3-\{(-2)^3+4\}=$

③ $\frac{1}{3}\times\left(-\frac{1}{2}\right)+\left(-\frac{1}{2}\right)^2\div\frac{3}{8}=$

④ $12-\{15\div(-5)+7\}=$

⑤ $\frac{1}{4}-2\times\left\{\frac{2}{3}+\left(-\frac{2}{3}\right)\times\frac{1}{4}\right\}=$

⑥ $\frac{12}{7}\div\left\{8-12\times\left(-\frac{1}{3}\right)\right\}=$

⑦ $\left(-\frac{1}{4}\right)\div\left(-\frac{1}{2}\right)^3-(-10)\times\left\{\frac{3}{5}+(-2)\right\}=$

⑧ $\left(-\frac{3}{4}\right)^2\times\left\{\frac{2}{3}-\left(-\frac{5}{6}\right)\right\}\times\frac{2}{9}\times2^4=$

유리수의 혼합 계산

월 일 | 점수 : / 8

계산을 하세요.

① $(-15)\div\{6-(-3)^2\}=$

② $12\times\left(\frac{1}{3}+\frac{1}{8}\right)+\frac{1}{4}=$

③ $\left(-\frac{1}{2}\right)^3\times(-4)+\left(-\frac{3}{4}\right)\div\frac{1}{2}=$

④ $\frac{1}{4}\div\left(-\frac{1}{2}\right)^3-(-2)\times\frac{5}{6}=$

⑤ $5-\{(-2)^3-(-2)\}\div4-\frac{1}{2}=$

⑥ $\left(-\frac{5}{2}\right)\div\left\{\left(-\frac{1}{4}+\frac{3}{2}\right)\times(-2)^2\right\}=$

⑦ $10-[\{6+(-8)^2\}\div(-2)]\times\frac{1}{5}=$

⑧ $(-3)\times\left\{\frac{1}{3}\times(-4)+\frac{2}{3}\right\}\div\left(-\frac{1}{4}\right)=$

유리수의 혼합 계산

월 일 | 점수 : / 8

계산을 하세요.

① $\frac{3}{5} \div \left(-\frac{12}{5}\right) - \frac{3}{4} =$

② $-\frac{3}{2} \times \left(-\frac{1}{3}\right) + \frac{3}{4} =$

③ $(-2)^2 - \left(-\frac{12}{5}\right) \div \frac{4}{15} =$

④ $\left(-\frac{1}{2}\right) \div \frac{1}{3} + \left(-\frac{1}{2}\right)^2 =$

⑤ $\frac{3}{5} \div \left\{(-2) - \frac{2}{5}\right\} \times \left(-\frac{4}{7}\right) =$

⑥ $\frac{1}{2} + (-1) \div \{6 - (-2)^2\} \times 6 =$

⑦ $\left\{\frac{3}{7} \times (-2-5) + 6\right\} \div (-3)^2 =$

⑧ $2 \times \left\{(8-3) \div \frac{10}{3}\right\} - (-3) =$

유리수의 혼합 계산

월 일 | 점수 : / 8

계산을 하세요.

① $(-2)^3 \div 4 \times (-5) - 12 =$

② $3 + \left\{\frac{2}{5} \div \left(-\frac{2}{3}\right) \times (-10)\right\} =$

③ $\left(-\frac{1}{2}\right)^3 \div \frac{1}{4} \times \{(-6) - (-2)\} =$

④ $\left(-\frac{3}{2}\right)^2 \times \left\{\frac{1}{2} - \left(-\frac{5}{6}\right)\right\} \div (-6)^2 =$

⑤ $(-3)^2 \times \left\{\frac{1}{3} \times (-4) + \frac{2}{3}\right\} \div \left(-\frac{1}{4}\right) =$

⑥ $10 - 6 \times \left(\frac{1}{5} \div \frac{3}{20} - \frac{1}{6}\right) =$

⑦ $\left(-\frac{1}{4}\right) \div \left(-\frac{1}{2}\right)^3 - (-10) \times \left\{\frac{3}{5} + (-2)\right\} =$

⑧ $5 - \frac{4}{3} \div \left\{\frac{7}{6} - 12 \times \left(-\frac{1}{3}\right)^2\right\} =$

유리수의 혼합 계산

월 일 | 점수 : / 8

계산을 하세요.

① $10-\{6+(-8)^2\}\div(-2)=$

② $18-2\times\{5-2\div(-2)^2\}=$

③ $2+\frac{1}{5}\times(-2)\div\left(-\frac{1}{2}\right)^2=$

④ $5\times\left(-\frac{2}{3}\right)+\left(-\frac{1}{2}\right)^2\div\frac{3}{4}=$

⑤ $1-\left[\frac{1}{2}+(-1)\div\{(-2)+6\}\right]=$

⑥ $5-\left[(-1)\times\left\{3^2\div\left(-\frac{3}{4}\right)+8\right\}\right]=$

⑦ $45\times\left(\frac{3}{5}-\frac{5}{9}\right)+4\times(-2)=$

⑧ $\frac{9}{4}\times\left(\frac{2}{5}-\frac{2}{3}\right)\times\frac{15}{9}=$

유리수의 혼합 계산

월 일 | 점수 : /8

계산을 하세요.

① $\frac{8}{5}-\frac{4}{5}\times\left\{\frac{3}{2}+\left(\frac{1}{2}\right)^2\right\}=$

② $30\times\left(\frac{4}{5}-\frac{5}{6}\right)\div\left(-\frac{3}{5}\right)^2=$

③ $15+\frac{2}{3}\times(-6)\times\left(-\frac{3}{4}\right)=$

④ $15\times\left(\frac{1}{5}+\frac{1}{3}\right)\div\left(-\frac{4}{3}\right)=$

⑤ $\frac{1}{2}-10\times\left\{\frac{3}{5}\div\frac{6}{5}-\frac{5}{2}\times\left(\frac{2}{5}\right)^2\right\}=$

⑥ $\left\{3-\left(\frac{1}{2}+3\right)\right\}\times2=$

⑦ $1+29\div\left\{\left(-\frac{1}{2}\right)^2+7\right\}=$

⑧ $3-\left[\frac{4}{15}\times\left\{\frac{1}{2}-\left(-\frac{3}{4}\right)\right\}\right]=$

유리수의 혼합 계산

월 일 | 점수 : / 8

계산을 하세요.

① $\frac{1}{2}-\frac{2}{3}\div\left(-\frac{2}{7}\right)-2=$

② $(-3+11)\times\left\{\left(-\frac{3}{4}\right)+\frac{1}{2}\right\}=$

③ $-\frac{3}{7}\times\{-2+(-3)^2\}-2=$

④ $\{(-3)^2-4\}\times\frac{2}{5}+13=$

⑤ $13-(-1)\times 12\div(-3)=$

⑥ $2\times\left\{5-\left(\frac{1}{2}-\frac{3}{4}\right)\div\frac{1}{4}\right\}=$

⑦ $5-[\{(-2)^2+(-5+7)\}\times 2]\div\left(-\frac{3}{4}\right)=$

⑧ $7-\left\{\left(-\frac{3}{4}\right)^2\div\left(-\frac{3}{8}\right)+\frac{1}{2}\right\}=$

유리수의 혼합 계산

월 일 | 점수 : / 8

계산을 하세요.

① $3-(-2)^2+15\div(-3)=$

② $2-(-4)\times\left(-\frac{1}{2}\right)^3+(-1)=$

③ $(-2)^2\div\frac{3}{7}\times\left(-\frac{4}{7}\right)+\frac{4}{3}=$

④ $\frac{2}{3}\times(-3)^2\div\left(-\frac{2}{15}\right)+20=$

⑤ $-\frac{3}{5}\times\left[\left\{\left(-\frac{2}{3}\right)+\frac{1}{2}\right\}\div\frac{1}{6}\right]=$

⑥ $7\div\left\{(-1)^3+\left(6-3\div\frac{1}{2}\right)\right\}=$

⑦ $(-2)\times\left\{(-2)^3\div\frac{2}{3}+1\right\}=$

⑧ $8\times\left\{\left(-\frac{1}{2}\right)^3\div\left(\frac{4}{5}-1\right)+1\right\}=$

5일차-2

유리수의 혼합 계산

월 일 | 점수 : / 8

계산을 하세요.

① $(-2)^3\times(-3)\div12+2=$

② $-4\div\left(-\frac{3}{2}+1\right)\times\left(-\frac{1}{2}\right)^3=$

③ $\frac{3}{4}\times\left\{(-2)-\frac{2}{5}\right\}\div\left(-\frac{6}{5}\right)=$

④ $\{-(-2)^2+20\}\div\left(-\frac{8}{3}\right)\times\frac{1}{2}=$

⑤ $(-3)^2\div\left\{2-\left(\frac{2}{3}-\frac{1}{3}\right)\right\}\times\frac{5}{9}=$

⑥ $\frac{3}{2}\div\left(-\frac{1}{4}\right)-\{(-8)\div2+6\}=$

⑦ $\{6-18\div(-3)^2\}\div2+5=$

⑧ $\frac{2}{3}-4\times\left\{-\left(-\frac{2}{3}\right)^2\div\left(-\frac{8}{3}\right)-\frac{3}{4}\right\}=$

Memo

• 유리수의 혼합 계산 •

정답

천종현수학연구소

예비 중등
1권
정답

1주차 - 유리수의 덧셈과 뺄셈

10쪽

① -3 ② 3

③ 2 ④ -1

11쪽

① -1 ② 3 ③ 2

④ -8 ⑤ -7 ⑥ -1

⑦ 5 ⑧ -5 ⑨ 5

12쪽

① -6 ② -2 ③ -10

④ -2 ⑤ 5 ⑥ -6

⑦ -8 ⑧ -9 ⑨ 9

⑩ -4 ⑪ -33 ⑫ -9

⑬ -16 ⑭ -7 ⑮ -11

13쪽

① -5 ② -3

③ 3 ④ 0

⑤ -2 ⑥ 2

⑦ 6 ⑧ 11

14쪽

① 1 ② -4

③ -1 ④ -8

⑤ $-\frac{1}{6}$ ⑥ $\frac{17}{20}$

⑦ $-\frac{2}{5}$ ⑧ $-\frac{4}{9}$

⑨ -1.1 ⑩ -0.4

⑪ 2.9 ⑫ -7.8

15쪽

① 12 ② -13 ③ -9

④ 7 ⑤ -7 ⑥ -37

⑦ 4 ⑧ 5 ⑨ -16

⑩ $\frac{1}{3}$ ⑪ $\frac{1}{4}$ ⑫ $\frac{7}{12}$

⑬ $-\frac{7}{10}$ ⑭ $\frac{5}{6}$ ⑮ $-\frac{1}{4}$

⑯ -8.1 ⑰ -3 ⑱ 1.5

⑲ -9.6 ⑳ 1.1 ㉑ 4.6

16쪽

① 1 ② 11
③ 1 ④ -8
⑤ -8 ⑥ 2
⑦ 4 ⑧ 11

17쪽

① 6 ② 5
③ -9 ④ -4
⑤ $\frac{1}{4}$ ⑥ $-\frac{4}{5}$
⑦ $-\frac{1}{12}$ ⑧ $\frac{1}{2}$
⑨ -2.7 ⑩ -0.6
⑪ 5 ⑫ -2.7

18쪽

① -15 ② -7 ③ 5
④ 9 ⑤ -17 ⑥ -16
⑦ 8 ⑧ 5 ⑨ -6
⑩ $\frac{2}{3}$ ⑪ $-\frac{5}{8}$ ⑫ $-\frac{11}{12}$
⑬ $\frac{9}{10}$ ⑭ $\frac{1}{5}$ ⑮ $-\frac{1}{4}$
⑯ -5.9 ⑰ 3.8 ⑱ -15.2
⑲ 13.3 ⑳ -3.9 ㉑ -4.5

19쪽

① -3 ② -5
③ 21 ④ -6
⑤ -1 ⑥ $-\frac{3}{4}$
⑦ $-\frac{5}{12}$ ⑧ $\frac{2}{3}$
⑨ -7.3 ⑩ -2.7
⑪ 2.9 ⑫ -3.5

20쪽

① -1 ② 24
③ -11 ④ 9
⑤ 1 ⑥ $\frac{1}{9}$
⑦ $\frac{3}{4}$ ⑧ $-\frac{11}{18}$
⑨ 9.2 ⑩ 4
⑪ 12.7 ⑫ -4.2

21쪽

① -15 ② 26
③ 18 ④ 9
⑤ -19 ⑥ -7
⑦ $\frac{13}{9}$ ⑧ $-\frac{1}{2}$
⑨ $\frac{4}{5}$ ⑩ $-\frac{1}{3}$
⑪ 5.6 ⑫ 5.8
⑬ -27.2 ⑭ 3.5

22쪽

① -3 ② 10 ③ -4
④ -5 ⑤ -6 ⑥ 6
⑦ 12 ⑧ -7 ⑨ -39
⑩ $-\frac{1}{6}$ ⑪ $\frac{9}{8}$ ⑫ $-\frac{2}{15}$
⑬ $-\frac{27}{20}$ ⑭ $-\frac{3}{10}$ ⑮ $-\frac{8}{21}$
⑯ -0.3 ⑰ 7.1 ⑱ -5.7
⑲ 5.1 ⑳ -20.4 ㉑ -11.9

23쪽

① -11 ② -1 ③ 2
④ -5 ⑤ -17 ⑥ 4
⑦ -8 ⑧ 29 ⑨ -43
⑩ $\frac{5}{6}$ ⑪ $-\frac{5}{9}$ ⑫ $\frac{7}{30}$
⑬ $\frac{2}{9}$ ⑭ $-\frac{39}{20}$ ⑮ $-\frac{13}{40}$
⑯ -9.3 ⑰ -4.6 ⑱ 6.1
⑲ -8.7 ⑳ 30.7 ㉑ -24.4

24쪽

① -5 ② 0
③ 3 ④ -6
⑤ 10 ⑥ -7
⑦ $-\frac{7}{9}$ ⑧ $-\frac{16}{15}$
⑨ $\frac{23}{30}$ ⑩ $\frac{3}{2}$
⑪ 1.4 ⑫ 9.1
⑬ -0.5 ⑭ 0.3

2주차 - 유리수의 곱셈과 나눗셈

26쪽

① -27 ② 8 ③ 28
④ -45 ⑤ -33 ⑥ 65
⑦ -4 ⑧ $\frac{4}{5}$ ⑨ $-\frac{5}{4}$
⑩ $\frac{4}{7}$ ⑪ $-\frac{8}{3}$ ⑫ $-\frac{21}{25}$
⑬ 20 ⑭ -1.7 ⑮ -8

27쪽

① -9 ② 45 ③ 88
④ -28 ⑤ -72 ⑥ -91
⑦ $-\frac{2}{3}$ ⑧ $-\frac{1}{3}$ ⑨ $\frac{1}{8}$
⑩ $\frac{15}{7}$ ⑪ $-\frac{6}{5}$ ⑫ $\frac{1}{6}$
⑬ 0.8 ⑭ -3 ⑮ -11
⑯ 3.9 ⑰ 2.7 ⑱ -7.8

28쪽

① -27 ② -48 ③ 16.1
④ $\frac{6}{5}$ ⑤ -6.6 ⑥ -98
⑦ 48 ⑧ $-\frac{9}{5}$ ⑨ $-\frac{4}{5}$
⑩ -2.4 ⑪ 156 ⑫ 8.5
⑬ $\frac{4}{3}$ ⑭ -75 ⑮ 30.6
⑯ -51.8 ⑰ -6 ⑱ -72
⑲ -25.2 ⑳ $\frac{25}{2}$ ㉑ -216

29쪽

① 48 ② -54
③ 36 ④ -56
⑤ $-\frac{4}{9}$ ⑥ $-\frac{3}{4}$
⑦ $-\frac{2}{5}$ ⑧ $\frac{3}{8}$
⑨ 16.2 ⑩ 39.1
⑪ -22.8 ⑫ -25.2

30쪽

① 9 ② 8 ③ -27
④ $\frac{1}{4}$ ⑤ -16 ⑥ $-\frac{1}{8}$
⑦ 25 ⑧ -8 ⑨ $\frac{1}{27}$
⑩ -8 ⑪ -1 ⑫ 9
⑬ -1 ⑭ $-\frac{1}{64}$ ⑮ $\frac{1}{4}$

31쪽

① -30 ② -24
③ $\frac{1}{35}$ ④ 6
⑤ -10 ⑥ $-\frac{1}{14}$
⑦ -60 ⑧ 4
⑨ $\frac{1}{2}$ ⑩ $\frac{2}{5}$
⑪ -2 ⑫ $-\frac{4}{3}$
⑬ $-\frac{10}{3}$ ⑭ $-\frac{3}{8}$

32쪽

① 4 ② 2 ③ -9
④ -7 ⑤ 2 ⑥ 12
⑦ -9 ⑧ -8 ⑨ 5
⑩ 2 ⑪ 3 ⑫ -6
⑬ -5 ⑭ -3 ⑮ -0.8
⑯ 9.4 ⑰ 21 ⑱ -47

33쪽

① -2 ② 24
③ $\frac{1}{4}$ ④ -4
⑤ $-\frac{1}{6}$ ⑥ $\frac{3}{2}$
⑦ $-\frac{3}{25}$ ⑧ 6
⑨ $-\frac{4}{9}$ ⑩ $\frac{1}{18}$
⑪ $-\frac{1}{14}$ ⑫ $-\frac{15}{4}$

34쪽

① -4 ② -0.8 ③ 6

④ -3 ⑤ 0.9 ⑥ 3

⑦ $-\frac{1}{12}$ ⑧ $-\frac{25}{32}$ ⑨ 9

⑩ $-\frac{5}{8}$ ⑪ $-\frac{3}{2}$ ⑫ $-\frac{14}{25}$

⑬ $\frac{1}{6}$ ⑭ $\frac{3}{2}$ ⑮ $-\frac{13}{9}$

⑯ $-\frac{7}{5}$ ⑰ $-\frac{3}{8}$ ⑱ $-\frac{2}{9}$

⑲ $\frac{4}{3}$ ⑳ $-\frac{15}{4}$ ㉑ $\frac{16}{25}$

35쪽

① $\frac{1}{9}$ ② $\frac{4}{3}$

③ -2 ④ $-\frac{1}{9}$

⑤ $\frac{2}{5}$ ⑥ $-\frac{7}{3}$

⑦ $-\frac{5}{6}$ ⑧ 10

⑨ $-\frac{14}{3}$ ⑩ $-\frac{1}{2}$

36쪽

① $\frac{3}{5}$ ② 36

③ $-\frac{36}{5}$ ④ -1

⑤ 45 ⑥ $-\frac{1}{36}$

⑦ -5 ⑧ $\frac{3}{8}$

⑨ $-\frac{3}{2}$ ⑩ $\frac{12}{5}$

37쪽

① $-\frac{21}{4}$ ② $\frac{3}{4}$

③ -4 ④ -6

⑤ 28 ⑥ $\frac{5}{3}$

⑦ 275 ⑧ 12

⑨ $-\frac{1}{4}$ ⑩ $-\frac{1}{3}$

⑪ $\frac{144}{5}$ ⑫ $\frac{15}{2}$

38쪽

① -18 ② -40 ③ 10.2

④ $\frac{3}{2}$ ⑤ -3 ⑥ 126

⑦ 10.4 ⑧ $\frac{27}{5}$ ⑨ 4.8

⑩ -0.2 ⑪ 88 ⑫ 15

⑬ $\frac{4}{3}$ ⑭ -20 ⑮ 20.8

⑯ -49.6 ⑰ 3 ⑱ -108

⑲ -0.6 ⑳ -25 ㉑ -32

39쪽

① -5 ② -0.5 ③ -7

④ 3 ⑤ -1.4 ⑥ 3

⑦ $-\frac{1}{6}$ ⑧ $-\frac{1}{7}$ ⑨ 18

⑩ $-\frac{5}{8}$ ⑪ -18 ⑫ $-\frac{3}{2}$

⑬ $\frac{1}{6}$ ⑭ $-\frac{3}{4}$ ⑮ $\frac{2}{9}$

⑯ 9 ⑰ -5 ⑱ $\frac{1}{18}$

⑲ $-\frac{6}{5}$ ⑳ $-\frac{3}{8}$ ㉑ 6

40쪽

① $-\frac{3}{4}$ ② 2

③ -100 ④ $-\frac{18}{5}$

⑤ 21 ⑥ -45

⑦ -56 ⑧ 17.5

⑨ -112.5 ⑩ -2

⑪ -20 ⑫ 8

3주차 - 연산의 기본 법칙

42쪽

(-3) × (-8) = 24
(-8) × (-3) = 24

(-9) ÷ (-3) = 3
(-3) ÷ (-9) = $\frac{1}{3}$

(+4) - (-3) = 7
(-3) - (+4) = -7

(-5) × (+2) = -10
(+2) × (-5) = -10

(-4) + (+5) = 1
(+5) + (-4) = 1

(-6) - (-8) = 2
(-8) - (-6) = -2

43쪽

(-2) + (-5) + (+9) = 2
(-2) + {(-5) + (+9)} = 2

(-16) ÷ (-4) ÷ (+2) = 2
(-16) ÷ {(-4) ÷ (+2)} = 8

(+5) + (-3) + (-7) = -5
(+5) + {(-3) + (-7)} = -5

(-5) - (+9) - (-3) = -11
(-5) - {(+9) - (-3)} = -17

(+7) - (+5) - (-2) = 4
(+7) - {(+5) - (-2)} = 0

(-3) × (+6) × (-2) = 36
(-3) × {(+6) × (-2)} = 36

44쪽

24 ÷ (2+4) = 4
24 ÷ 2 + 24 ÷ 4 = 18

(5 - 7) × 2 = -4
5 × 2 - 7 × 2 = -4

(8 + 3) × 4 = 44
8 × 4 + 3 × 4 = 44

(9 - 12) ÷ 3 = -1
9 ÷ 3 - 12 ÷ 3 = -1

5 × 3 + 2 × 3 = 21
(5 + 2) × 3 = 21

48 ÷ (16 - 4) = 4
48 ÷ 16 - 48 ÷ 4 = -9

45쪽

① 320 ② 130

③ -80 ④ 360

⑤ 560 ⑥ 150

⑦ -40 ⑧ 640

⑨ 127 ⑩ -270

46쪽

① 200 ② 540
③ 2000 ④ 1600
⑤ 9000 ⑥ 7200
⑦ 6400 ⑧ 16200
⑨ 8400 ⑩ 30000

47쪽

① 3 ② 560
③ 185 ④ 260
⑤ 4 ⑥ -4
⑦ 100 ⑧ -250
⑨ -165 ⑩ 30

48쪽

① 9 ② 7 ③ 2
④ 4 ⑤ 24 ⑥ 16

① 3 ② 11 ③ 5
④ 45 ⑤ 0 ⑥ 22

49쪽

① +6, -6 ② +4, -4 ③ +5, -5
④ +12, -12 ⑤ +7, -7 ⑥ +23, -23

① +8, -8 ② +21, -21 ③ +14, -14
④ +35, -35 ⑤ +9, -9 ⑥ +20, -20

50쪽

① 9, -3
② 6, -10
③ 11, 7
④ 14, 6, -6, -14
⑤ 23, 9, -9, -23
⑥ 36, 12, -12, -36

51쪽

① -3 ② 9
③ $\frac{7}{6}$ ④ $-\frac{1}{8}$
⑤ 5.7 ⑥ 4.8
⑦ -5.3 ⑧ $\frac{11}{8}$
⑨ 20 ⑩ 3.3
⑪ $-\frac{7}{4}$ ⑫ 15

52쪽

① 3 ② -4

③ $-\frac{3}{4}$ ④ $-\frac{11}{15}$

⑤ 8.1 ⑥ -15.2

⑦ $\frac{9}{20}$ ⑧ -36

⑨ $\frac{4}{3}$ ⑩ -21.6

⑪ -12.7 ⑫ 1

⑬ 2 ⑭ 8.9

53쪽

① 6.7

② 12.2

③ $4\frac{3}{4}$

④ -17

54쪽

① -11 ② -18

③ $\frac{4}{3}$ ④ $-\frac{3}{10}$

⑤ -0.2 ⑥ -3.5

⑦ 9 ⑧ $-\frac{15}{4}$

⑨ $-\frac{1}{18}$ ⑩ $-\frac{14}{15}$

⑪ 4 ⑫ $\frac{1}{5}$

55쪽

① -4 ② 96

③ $\frac{9}{5}$ ④ $\frac{15}{14}$

⑤ -1.5 ⑥ 1.5

⑦ 27 ⑧ -5

⑨ $\frac{1}{2}$ ⑩ $-\frac{9}{2}$

⑪ $\frac{25}{2}$ ⑫ $-\frac{5}{2}$

56쪽

① $\frac{2}{3}$

② -2

③ -0.3

④ $\frac{9}{25}$

4주차 - 도전! 계산왕

58쪽

① 5 ② $-\frac{1}{21}$ ③ 11
④ -0.8 ⑤ -1 ⑥ -7
⑦ 18 ⑧ -4 ⑨ 2
⑩ $-\frac{1}{6}$ ⑪ -0.8 ⑫ $\frac{1}{14}$
⑬ 8 ⑭ 2
⑮ 18 ⑯ $-\frac{4}{3}$
⑰ 5 ⑱ $\frac{2}{3}$

59쪽

① 11 ② $-\frac{1}{6}$ ③ 6
④ $-\frac{1}{2}$ ⑤ $-\frac{13}{21}$ ⑥ -2.4
⑦ -32 ⑧ -6 ⑨ $\frac{4}{3}$
⑩ $-\frac{3}{14}$ ⑪ -0.7 ⑫ $-\frac{1}{12}$
⑬ 5 ⑭ -12
⑮ $\frac{8}{5}$ ⑯ $-\frac{5}{4}$
⑰ -4.9 ⑱ 2

60쪽

① 4 ② -0.7 ③ $\frac{17}{20}$
④ $-\frac{5}{7}$ ⑤ -3.6 ⑥ 1.3
⑦ 24 ⑧ -4 ⑨ $-\frac{3}{4}$
⑩ $\frac{5}{12}$ ⑪ 0.7 ⑫ -4
⑬ 3 ⑭ -16
⑮ -7.5 ⑯ -14
⑰ $\frac{5}{3}$ ⑱ $\frac{3}{20}$

61쪽

① -5 ② 2 ③ $-\frac{1}{4}$
④ 8.5 ⑤ -1.5 ⑥ -7.7
⑦ 77 ⑧ 5 ⑨ $\frac{8}{15}$
⑩ 3 ⑪ $-\frac{2}{9}$ ⑫ 0
⑬ $-\frac{7}{12}$ ⑭ 30
⑮ $\frac{11}{30}$ ⑯ 20
⑰ -8 ⑱ $-\frac{1}{16}$

62쪽

① 16 ② $\frac{14}{3}$ ③ $-\frac{13}{4}$
④ $\frac{1}{12}$ ⑤ -2 ⑥ -4
⑦ 18 ⑧ -5 ⑨ $-\frac{2}{3}$
⑩ 16 ⑪ 2 ⑫ 1.4
⑬ $\frac{3}{2}$ ⑭ 84
⑮ 1 ⑯ $\frac{5}{4}$
⑰ $\frac{5}{4}$ ⑱ -48

63쪽

① -13 ② $-\frac{8}{7}$ ③ $\frac{11}{3}$
④ $\frac{11}{4}$ ⑤ -0.6 ⑥ 10.8
⑦ -12 ⑧ $-\frac{3}{2}$ ⑨ $-\frac{8}{5}$
⑩ $-\frac{1}{3}$ ⑪ 16 ⑫ 3.9
⑬ $-\frac{25}{14}$ ⑭ $-\frac{15}{8}$
⑮ $-\frac{3}{7}$ ⑯ $-\frac{12}{5}$
⑰ 0.3 ⑱ 18

64쪽

① -4 ② $\frac{1}{4}$ ③ $\frac{1}{3}$

④ $\frac{5}{2}$ ⑤ $-\frac{4}{5}$ ⑥ -1.6

⑦ 10 ⑧ $-\frac{1}{2}$ ⑨ $-\frac{8}{3}$

⑩ $\frac{7}{16}$ ⑪ -5 ⑫ 10

⑬ -2 ⑭ 24

⑮ $\frac{1}{2}$ ⑯ $-\frac{3}{14}$

⑰ $\frac{2}{3}$ ⑱ $-\frac{3}{4}$

65쪽

① 4 ② $-\frac{5}{12}$ ③ 2.7

④ -7.6 ⑤ -0.7 ⑥ 1.8

⑦ 21 ⑧ 7 ⑨ $-\frac{9}{5}$

⑩ $-\frac{3}{8}$ ⑪ $\frac{1}{20}$ ⑫ 6

⑬ $\frac{3}{2}$ ⑭ $\frac{5}{2}$

⑮ 5 ⑯ -30

⑰ $\frac{1}{5}$ ⑱ -1

66쪽

① -7 ② $-\frac{1}{15}$ ③ $-\frac{1}{3}$

④ $-\frac{7}{4}$ ⑤ 2.2 ⑥ 4.4

⑦ -12 ⑧ $\frac{2}{3}$ ⑨ -54

⑩ 0 ⑪ 32 ⑫ $-\frac{5}{8}$

⑬ -10.1 ⑭ $\frac{5}{8}$

⑮ $\frac{1}{2}$ ⑯ $-\frac{9}{8}$

⑰ $\frac{13}{12}$ ⑱ 14

67쪽

① -3 ② $\frac{7}{5}$ ③ $\frac{1}{21}$

④ -1 ⑤ 1.5 ⑥ 3.5

⑦ 48 ⑧ $\frac{1}{15}$ ⑨ -4

⑩ -4 ⑪ 3 ⑫ -9

⑬ $\frac{9}{4}$ ⑭ $\frac{9}{25}$

⑮ $\frac{1}{2}$ ⑯ -45

⑰ -6 ⑱ -4

5주차 - 사칙연산의 혼합 계산

70쪽

① 3 ② -11.5

③ 16 ④ 20

⑤ -12 ⑥ 13.5

⑦ -1.5 ⑧ $\frac{4}{5}$

71쪽

① -26

② 8

③ -1.5

④ $\frac{2}{3}$

⑤ -10

⑥ 4

⑦ $-\frac{5}{6}$

72쪽

① -19

② -5

③ -5

④ 4

⑤ -14

⑥ $\frac{3}{2}$

⑦ $\frac{13}{4}$

73쪽

① 12

② -1

③ 3

④ 2

⑤ -15

⑥ $-\frac{5}{2}$

⑦ 10

74쪽

① $\frac{22}{5}$

② -0.9

③ $-\frac{1}{8}$

④ 4

⑤ -3

⑥ $-\frac{5}{2}$

⑦ 10

75쪽

① -48

② $\frac{13}{15}$

③ $-\frac{10}{3}$

④ $-\frac{7}{6}$

76쪽

① 13 ② 2

77쪽

① 8 ② $\frac{1}{2}$

③ 2 ④ 1

78쪽

① $\frac{17}{2}$ ② -10

③ 13 ④ 2

79쪽

① 11 ② 4

80쪽

① 1 ② $\frac{7}{2}$

③ 7 ④ $-\frac{9}{4}$

81쪽

① $\frac{7}{2}$ ② 6

③ -15 ④ $\frac{1}{4}$

82쪽

① 6

② 2

83쪽

① -2

② 15

③ 4

④ -7

84쪽

① 8

② -2

③ 2

④ 12

6주차 - 도전! 계산왕

86쪽

① 3 ② 63

③ -20 ④ -1

⑤ 2 ⑥ -10

⑦ $\frac{49}{5}$ ⑧ 5

87쪽

① -25 ② 7

③ $\frac{1}{2}$ ④ 8

⑤ $-\frac{3}{4}$ ⑥ $\frac{1}{7}$

⑦ -12 ⑧ 3

88쪽

① 5 ② $\frac{23}{4}$

③ -1 ④ $-\frac{1}{3}$

⑤ 6 ⑥ $-\frac{1}{2}$

⑦ 17 ⑧ -8

89쪽

① -1 ② $\frac{5}{4}$

③ 13 ④ $-\frac{5}{4}$

⑤ $\frac{1}{7}$ ⑥ $-\frac{5}{2}$

⑦ $\frac{1}{3}$ ⑧ 6

90쪽

① -2 ② 9
③ 2 ④ $\frac{1}{12}$
⑤ 24 ⑥ 3
⑦ -12 ⑧ 13

91쪽

① 45 ② 9
③ $\frac{2}{5}$ ④ -3
⑤ $\frac{3}{4}$ ⑥ 1
⑦ -6 ⑧ -1

92쪽

① $\frac{1}{5}$ ② $-\frac{25}{9}$
③ 18 ④ -6
⑤ $-\frac{1}{2}$ ⑥ -1
⑦ 5 ⑧ $\frac{8}{3}$

93쪽

① $\frac{5}{6}$ ② -2
③ -5 ④ 15
⑤ 9 ⑥ 12
⑦ 21 ⑧ 8

94쪽

① -6 ② $\frac{1}{2}$
③ -4 ④ -25
⑤ $\frac{3}{5}$ ⑥ -7
⑦ 22 ⑧ 13

95쪽

① 4 ② -1
③ $\frac{3}{2}$ ④ -3
⑤ 3 ⑥ -8
⑦ 7 ⑧ 3

Memo

천종현수학연구소는

천종현 연구소장 아래 사고력 수학 교재를 깊이 있게 연구해 온 집필진으로 이루어져 있습니다. 실전에 강한 사고력 전문가 집단으로서 사고력 수학을 가르치는 것을 시작으로 수학의 원리를 통한 단계적 학습을 강조하는 사고력 및 창의력 교재를 개발하고 있습니다. 방법을 암기하는 수학 공부법에 대한 문제 인식을 갖고 이를 해결하기 위해 아이들이 쉽고 재미있게 공부하면서도 원리를 이해하며 스스로 생각하는 힘을 기를 수 있는 수학 컨텐츠를 연구합니다.